U0064399

劉福春・李怡 主編

民國文學珍稀文獻集成

第一輯

新詩舊集影印叢編　第47冊

【曼尼卷】

斜坡

上海：新文化書社 1934 年 4 月版

曼尼 著

【歐陽蘭卷】

夜鶯

薔薇社 1924 年 5 月版

歐陽蘭 著

花木蘭文化出版社

國家圖書館出版品預行編目資料

斜坡／曼尼 著　夜鶯／歐陽蘭 著 -- 初版 -- 新北市：花木蘭文化出版社，2016
〔民 105〕
208 面／80 面；19 ×26 公分
（民國文學珍稀文獻集成・第一輯・新詩舊集影印叢編　第 47 冊）
ISBN：978-986-404-622-5（套書精裝）
831.8　105002931

民國文學珍稀文獻集成・第一輯・新詩舊集影印叢編（1-50 冊）
第 47 冊

斜坡
夜鶯

著　　者　曼尼／歐陽蘭
主　　編　劉福春、李怡
企　　劃　首都師範大學中國詩歌研究中心
　　　　　北京師範大學民國歷史文化與文學研究中心
　　　　　（臺灣）政治大學民國歷史文化與文學研究中心
總 編 輯　杜潔祥
副總編輯　楊嘉樂
編　　輯　許郁翎
出　　版　花木蘭文化出版社
社　　長　高小娟
聯絡地址　235 新北市中和區中安街七二號十三樓
　　　　　電話：02-2923-1455 ／傳眞：02-2923-1452
網　　址　http://www.huamulan.tw 信箱 hml 810518@gmail.com
印　　刷　普羅文化出版廣告事業
初　　版　2016 年 4 月
定　　價　第一輯 1-50 冊（精裝）新台幣 120,000 元

斜坡

曼尼 著

曼尼，生平不詳。

新文化書社（上海）一九二四年四月初版，一九三四年四月再版。
原書三十二開。

曼尼的詩集
斜坡
上海新文化書社印行

Acclivity
斜　坡

・卷 頭 話・

軟綠，嫩紅，
飄拂在斜坡上；
冷雨，凍霜，
侵降在斜坡上；
——隨着人們的愛憎吧！
翼舉， 1923, 7／31.

Toi, dont le monde encore ignore le vrai nom,

Esprit mysterieux, mortel, ange ou de mon,

Qui que tu sois, Byron bon ou fatal genie,

J'aime de tes concerts la sauvage harmonie,

Comme j'aime le bruit de la foudre et des vents

Se mélant dans l'orage ā le voix des torrents!

L'aigle roi des deserts, de daigne ainsi la plaine;

Il ne veux, comme toi que des rocs escarpés,

Que l'hiver a blanchis, que la foudre á frappés

Des rivages couverts des de bris du naufrage,

Ou des champs tout noireis des restes de carnage...............

From Larmartine's Me'ditations.

遙贈血漢曼尼

你，人間尚沒知其名的，

是神祕的精靈，凡人天仙或惡魔，

無論你是誰，Byron,幸，不幸的天才，

吾愛你樂裏那種粗獷的音調，

像猛烈的霹靂，怒吼的狂風，

在暴雨裏與激浪相混亂的聲音！

你以夜爲止宿，以恐怖爲產業；

祇有那勁鷹，廣漠之王，牠厭棄平原；

牠始像你，愛好那被冬漂白的，被暴雷打倒了的

嶙峋的危石；那偏布着破艦的殘碎的海岸；或是

那暗染着屠殺的剩餘的田野……………………

洪槐，贈於人間。

十八，九，一九二三。

引子

曼尼用幾月工夫，把這本斜坡寫就了；當他開始寫詩的期間，就是他開始浪漫的期間，所以這本集子，也可說是他底浪漫的紀念物！

曼尼歡喜寫詩，如初生的鹿兒一般在花床上試牠們的新角。但他在未寫詩以前便立定主意：不拾取一些古人或今人遺留的金子或石子；他沒所崇拜，沒所信仰，否認任何鳥主義，打破一切硬腔死調的鳥形式…………凡寫出來，都是赤裸裸地盡力量的吶喊，裏面近百首的戀歌，尤其是他大胆無畏而又忠實可嘉的向人們的供狀。

他因痛恨運命之女神，把人們儌倖的太不舒服，他便想把一切的鐐銬都打斷了。他竭力呪詛覺悟，他說人類都因爲覺悟才產生罪惡…………但他何曾是反對覺悟，他承認覺悟要像魚兒一氣沉到海的底底然後才浮上來方有些滋味兒——他因爲看一班畏首畏尾的蠢貨怕了！

好了！他現在和吾相約長驅入於浪漫之域了。吾一壁狠希望他有經過一番深藍色的人生，一壁又希望他尋找到像 Byron 和 Musset…… ……一類一例忠實的朋友，採取那詩中的香蜜，預備擕着花籃，沿途散播花草。

吾雖然替他這地想——他自己也這地想——但吾因盼望他的思想快些兒實現，所以就由他在這不重要的地方吶喊；暫且把過去的陳事吶喊出來。關於他的前途，吾總希望他反抗一切的笑罵，提高嗓子，越喊越起勁了！

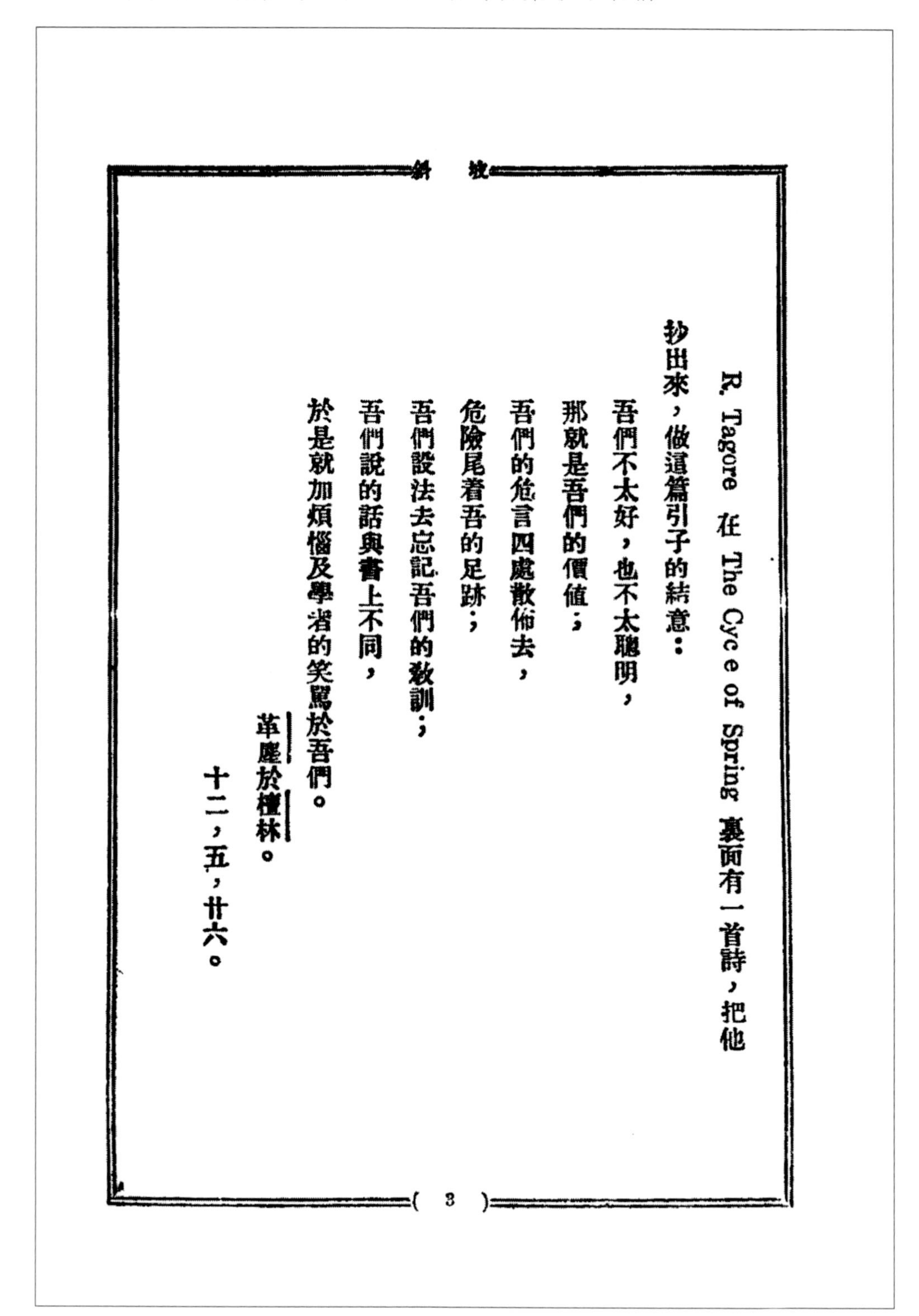

R. Tagore 在 The Cyce of Spring 裏面有一首詩，把他
抄出來，做這篇引子的結意：

吾們不太好，也不太聰明，
那就是吾們的價值；
吾們的危言四處散佈去，
危險尾着吾的足跡；
吾們設法去忘記吾們的教訓；
吾們說的話與書上不同，
於是就加煩惱及學者的笑罵於吾們。

——革塵於檀林。

十二，五，廿六。

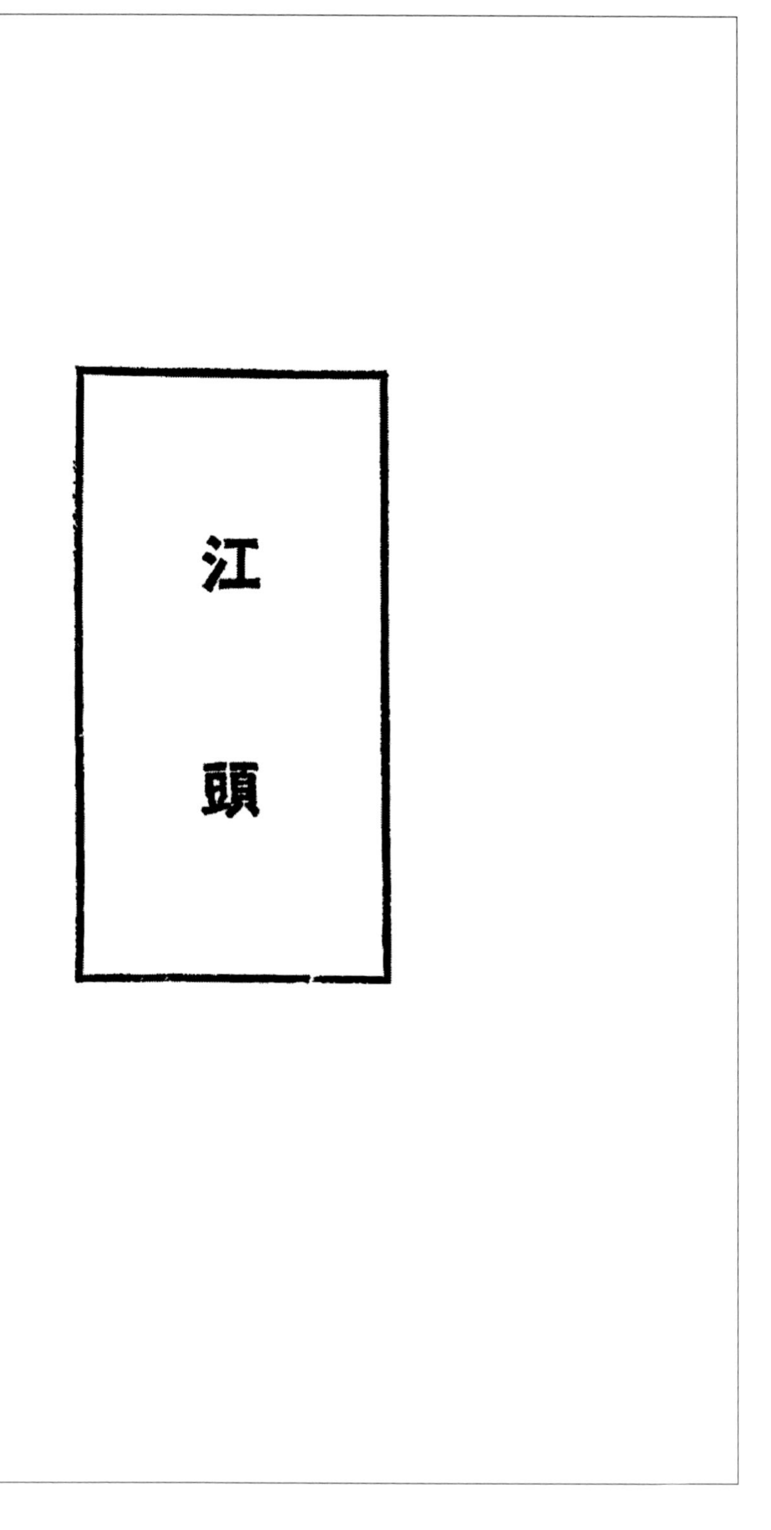
江
頭

色呵，把青年們的眼睛刺盲了！
香呵，把青年們的心薰得陶醉了！
——靜庵——

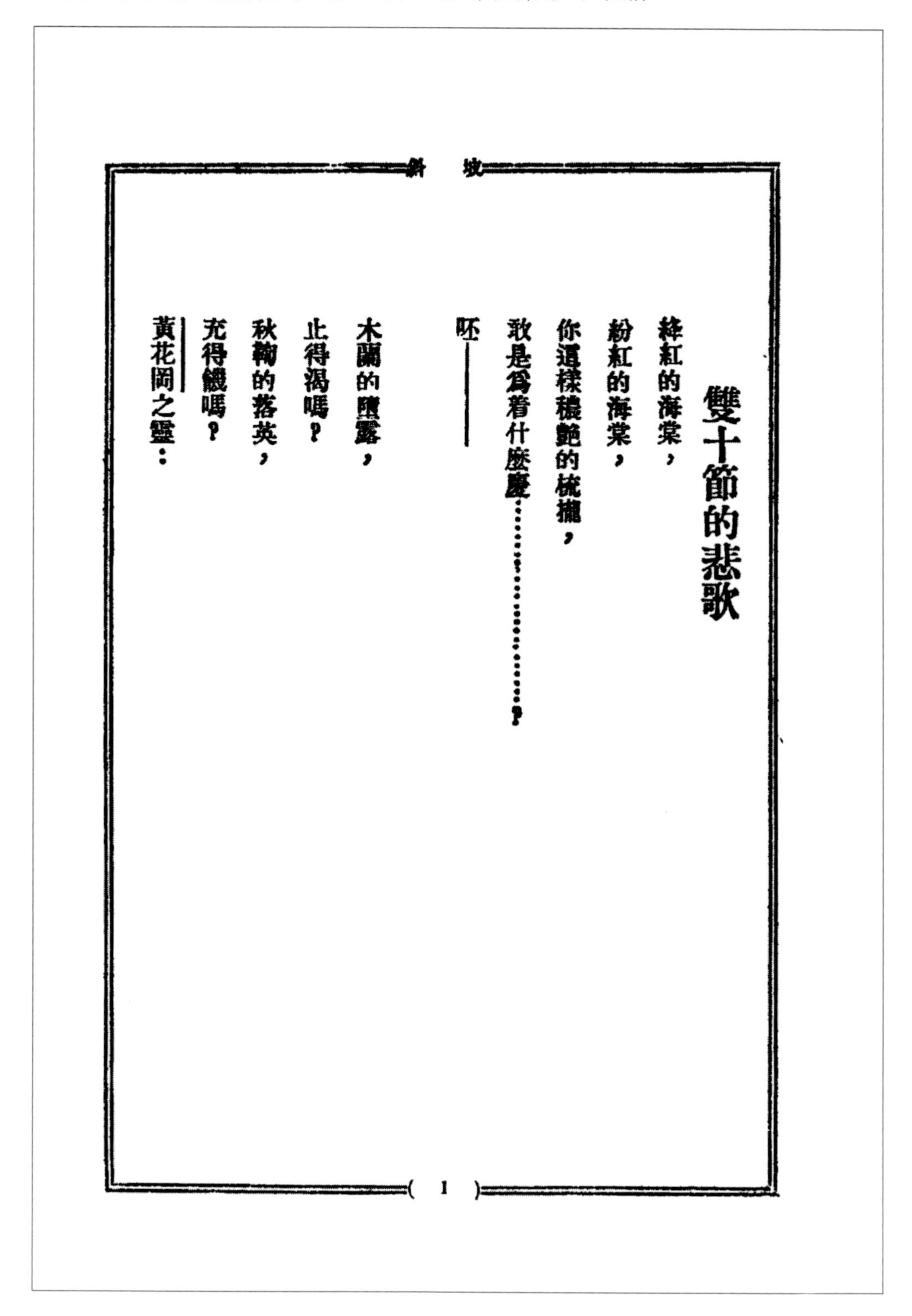

雙十節的悲歌

絳紅的海棠，
紛紅的海棠，
你這樣穠艷的梳攏，
敢是爲着什麼慶…………？
呸——
木蘭的墜露，
止得渴嗎？
秋鞠的落英，
充得饑嗎？
——
黃花岡之靈：

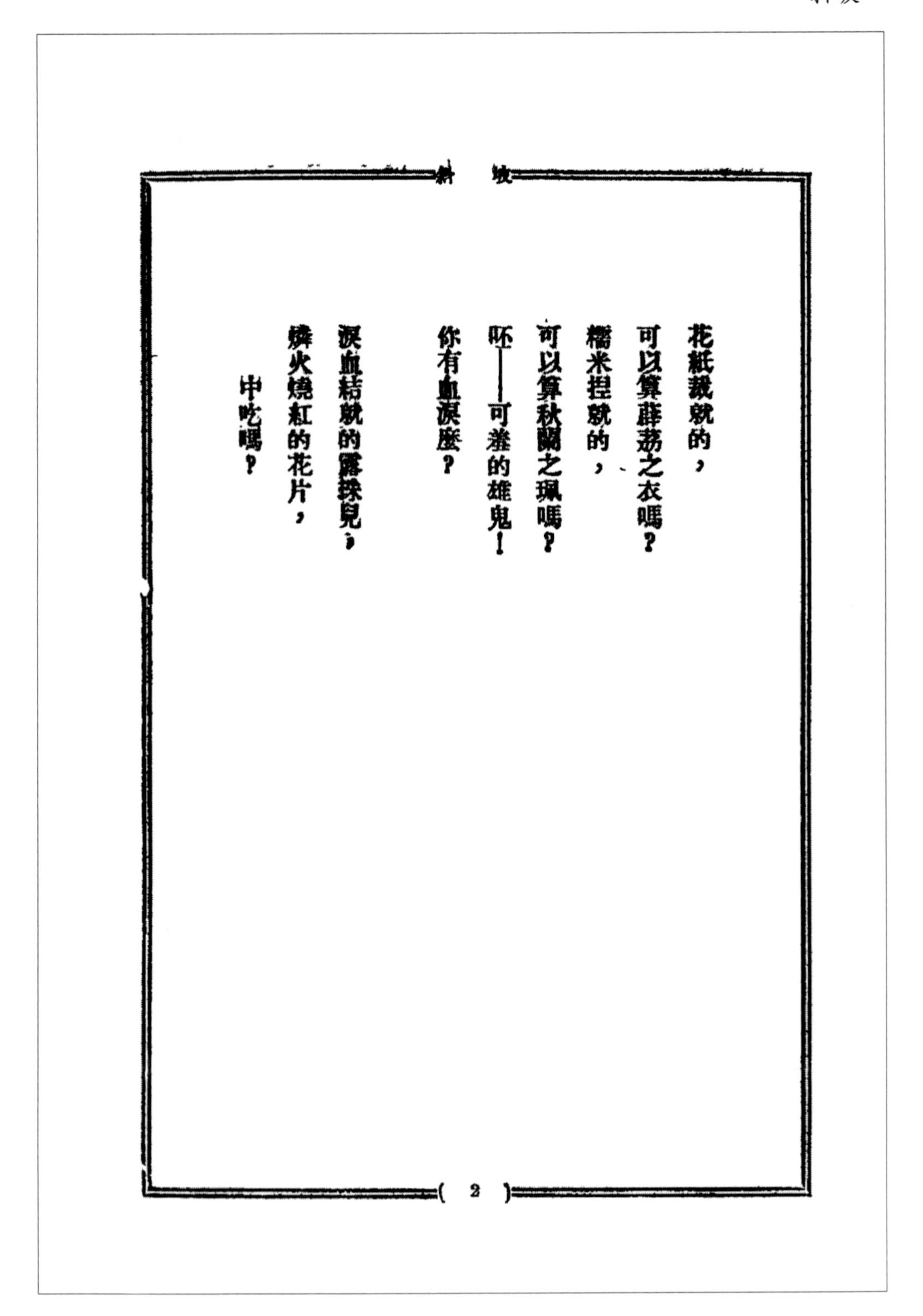

斜　坡

花紙裁就的，
可以算薜荔之衣嗎？
糯米捏就的，
可以算秋蘭之珮嗎？
呸——可羞的雄鬼！
你有血淚麼？
淚血結就的露珠兒，
燐火燒紅的花片，
　中吃嗎？

(2)

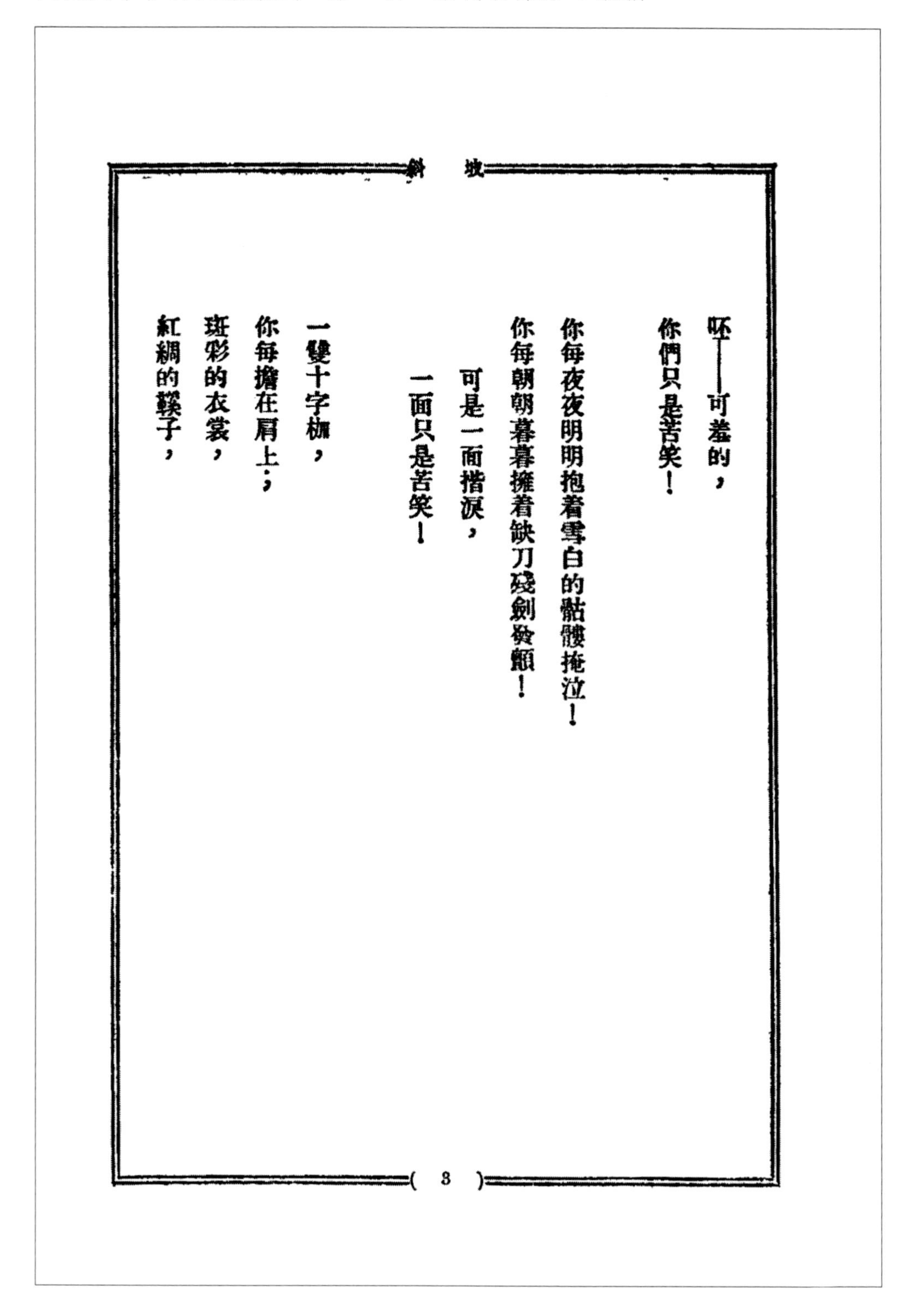

呸——可羞的，
你們只是苦笑！

你每夜夜明明抱着雪白的骷髏掩泣！
你每朝朝暮暮擁着缺刀殘劍發顫！
　可是一面揩淚，
　一面只是苦笑！

一雙十字枷，
你每擔在肩上；
斑彩的衣裳，
紅綢的鞵子，

就是你每的場面；
　爆竹的灰，
　紙錢的灰，
就是你每的恩物；
你每陣陣傷心淚，
從眼眶倒流肚子裏去！
你每的門面只做吃吃的苦笑！

呸——該死的海棠，
開的什麽花！
染的什麽淺紅，絳紅！——
吾倆做一起來嘲笑罷！

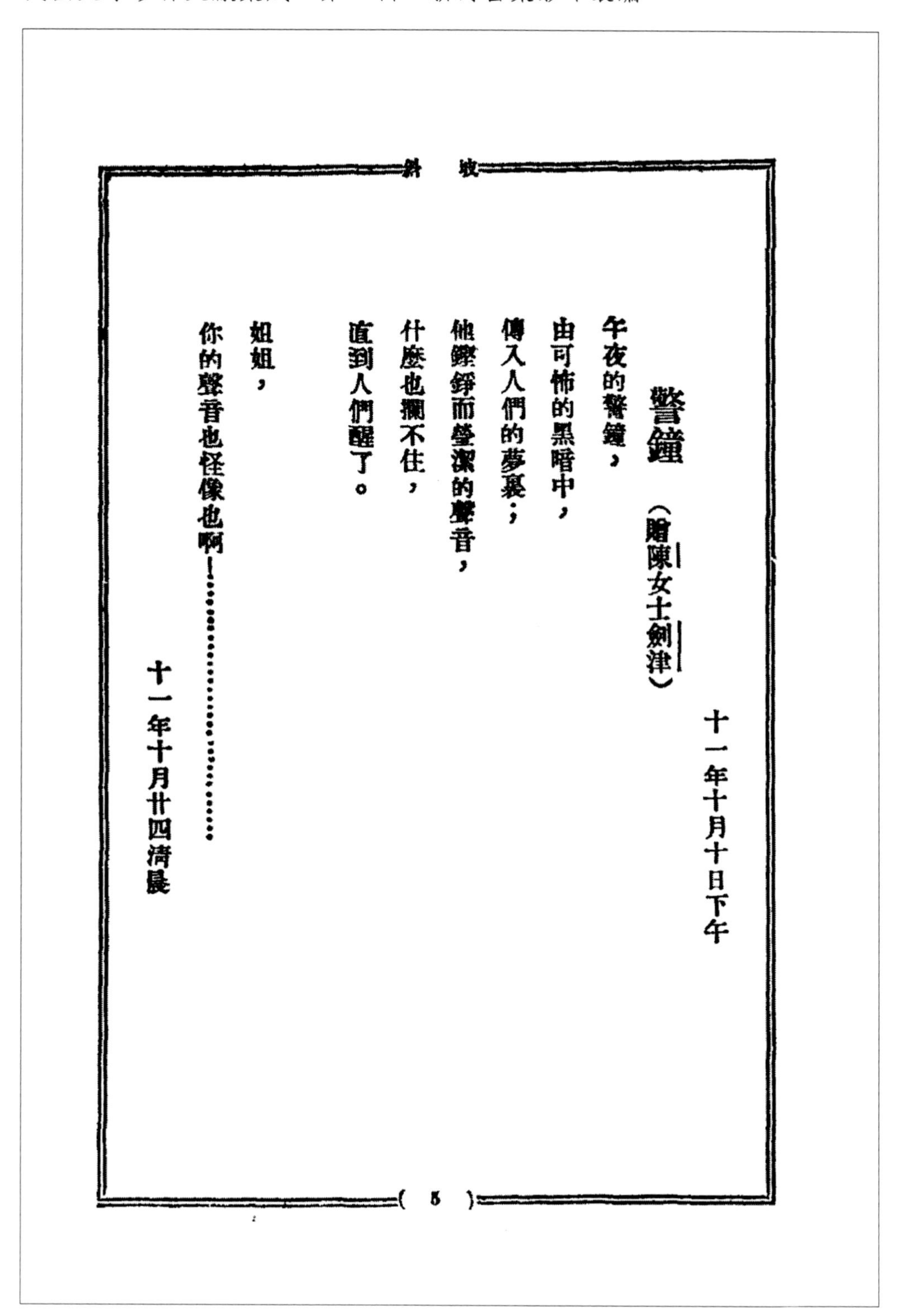

十一年十月十日下午

警鐘（贈陳女士劍津）

午夜的警鐘，
由可怖的黑暗中，
傳入人們的夢裏；
他鏗鏘而瑩潔的聲音，
什麼也攔不住，
直到人們醒了。

姐姐，
你的聲音也怪像也啊——……………

十一年十月廿四淸晨

秋夜的雲色

蔚藍的天空，
深的怪可怕地！
無量數的白綿羊，
正在那兒放牧；
一點一點的星星，
狠光芒地在裏面射出來，
有時恰好做雙羊目！
何處來了一位穿白衣的短工？
狠精細替他裝上一副角。

看呵！

那破壁底下蹲着一位鶉衣的牧童。

十一年十月三十日晚九時

深秋之夜

這又是晚涼天氣了。

怪道穿簾的秋風有些兒冷，
半牆的月色比往時越白！

人們都睡了，
吾這里二個小弟弟也睡了。

高年的祖母伊自來是黃昏就睡覺的。

疼兒女的母親也應該撫諸妹妹安睡了。
爺爺，
你難道還玩什麼書嗎？
或者爲着吾們貎……………………？
貪玩的韻弟叫他早點去睡吧。

曼妹，
月兒上屋了，
草蟲兒甜蜜蜜地安睡了；
你一個人獨坐成何趣味，
約不定又找什麼詩句了，
你的心事吾何曾不懂，

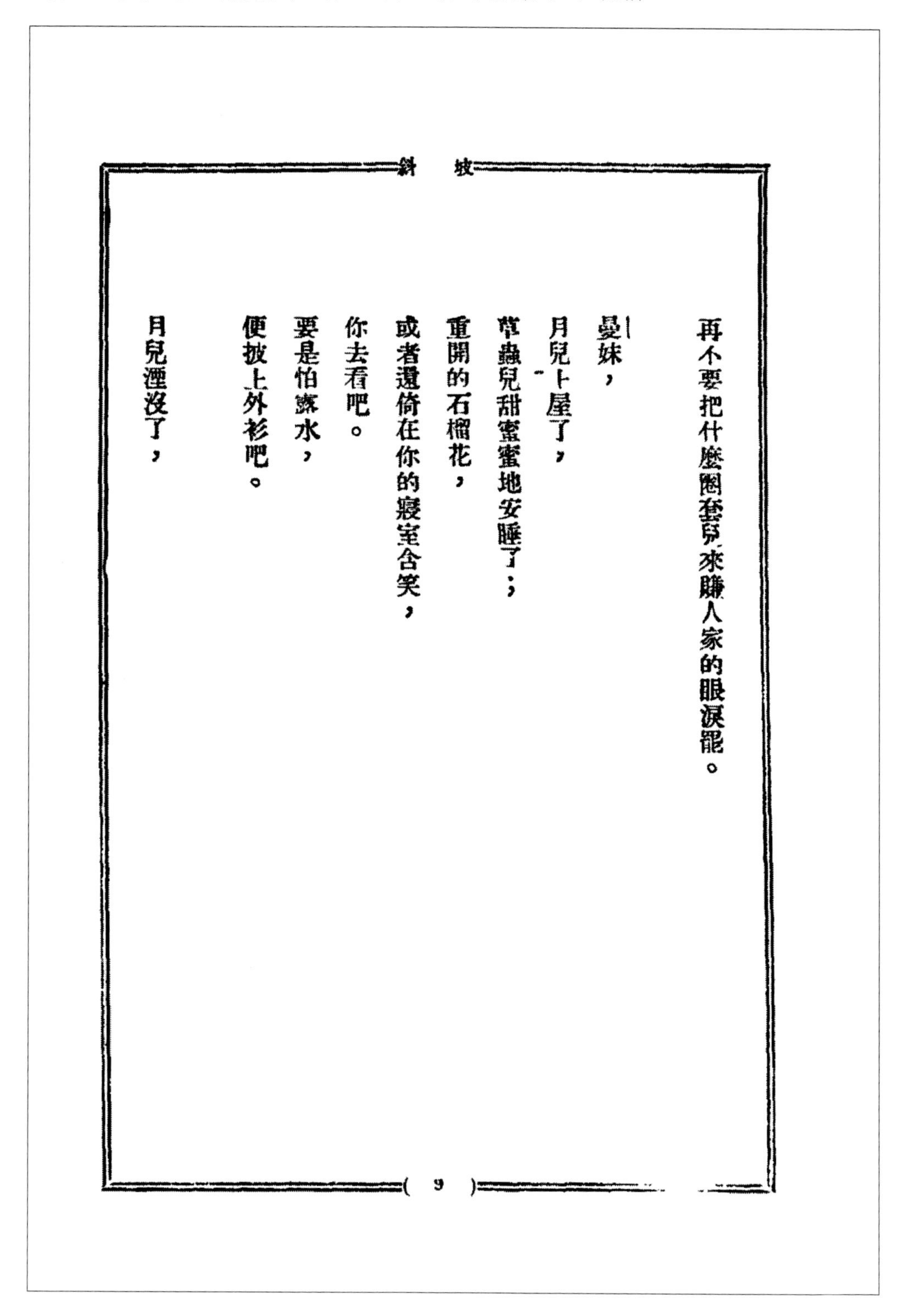

再不要把什麼圈套兒來賺人家的眼淚罷。

曼妹，
月兒下屋了，
草蟲兒甜蜜蜜地安睡了；
重開的石榴花，
或者還倚在你的寢室含笑，
你去看吧。
要是怕露水，
便披上外衫吧。

月兒湮沒了，

花影模糊了，
草蟲兒甜蜜蜜地安睡了。
纔鈎的敲動把吾警醒了！
呵，靈魂，你剛從一千里外囘來嗎？

十一年十月三十晚

海上

無侶的小鳥嬾嬾地飛着，
無賴的秋風嬾嬾地吹着，
乳白的潮水嬾嬾地濺着岸石，
晚市的歸舟嬾嬾地隨着新汐！
吾看他們都像有些相思病，
不然，

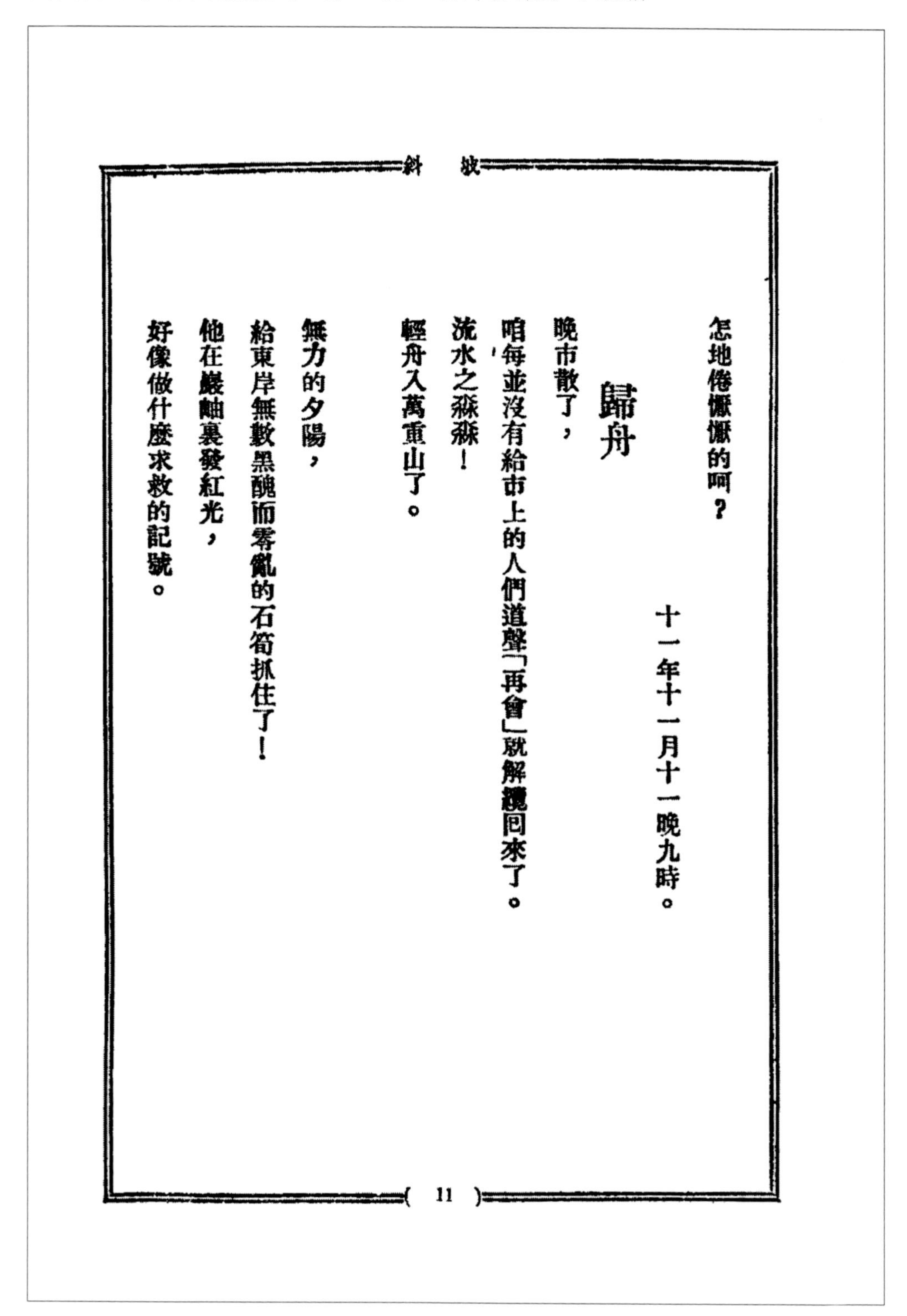

怎地倦懨懨的呵？

十一年十一月十一晚九時。

歸舟

晚市散了，

咱每並沒有給市上的人們道聲「再會」就解纜回來了。

流水之淼淼！

輕舟入萬重山了。

無力的夕陽，

給東岸無數黑醜而零亂的石筍抓住了！

他在巉岫裏發紅光，

好像做什麼求救的記號。

靠岸的暖流，
流出許多鮮血了。

黃金色的光線愈無力了。
船裏的人們，
個個懷着歸意了。
佢們的皮夾裏，
至少有一二件給他小寶寶或者他情人愛玩或吃的東西。

黃金色的光線愈無力了。
薄冷的秋風招動籬菊了；
佢們的家人，

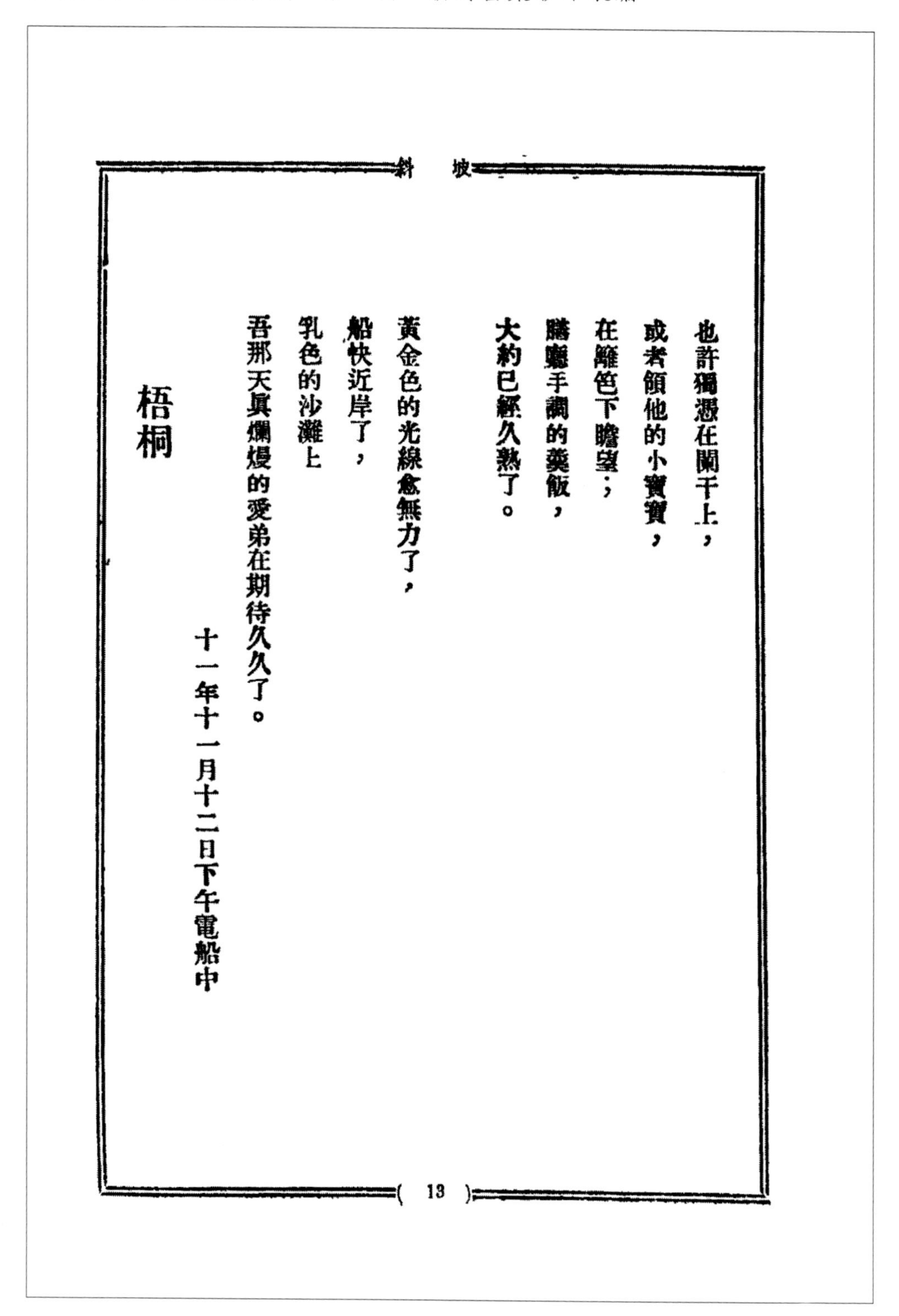

也許獨憑在闌干上，
或者領他的小寶寶，
在籬笆下瞻望；
睹聽手調的羹飯，
大約已經久熟了。

黃金色的光線愈無力了，
船快近岸了，
乳色的沙灘上
吾那天眞爛熳的愛弟在期待久久了。

十一年十一月十二日下午電船中

梧桐

是誰栽的梧桐？
葉兒黃，
葉兒黃是染了秋風！
悉索索，
悉索索弔下檐櫳！

十一年十一月十七晚

夢中

好像一場晚市，
賣青菜的，水菓的，
撐着布帆賣丸子湯的；
横順攤在路邊。
上市的人們太半背籃荷筐回去了。

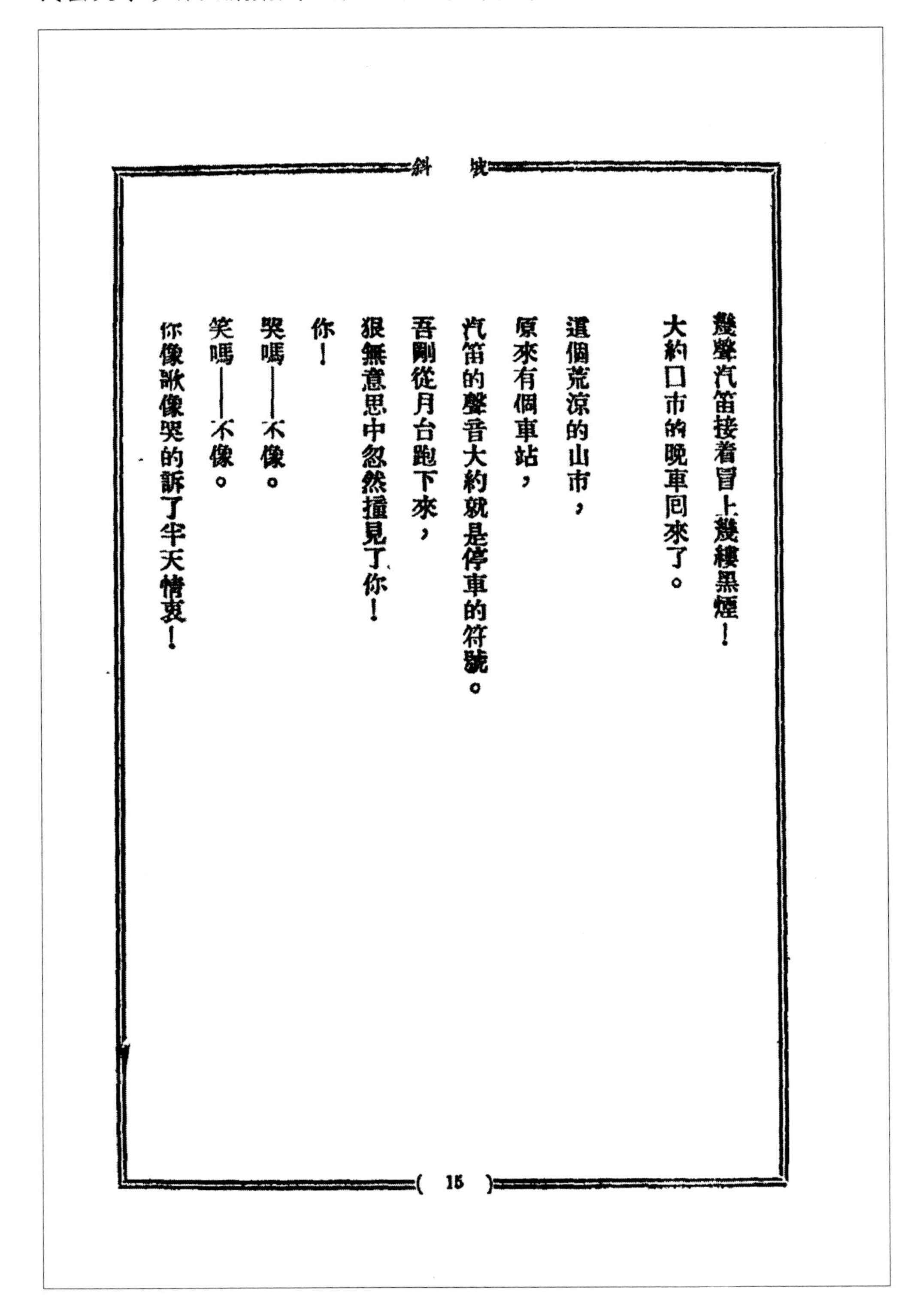

幾聲汽笛接着冒上幾縷黑煙！
大約口市的晚車回來了。

這個荒涼的山市，
原來有個車站，
汽笛的聲音大約就是停車的符號。
吾剛從月台跑下來，
狠無意思中忽然撞見了你！
你！
哭嗎——不像。
笑嗎——不像。
你像歌像哭的訴了半天情衷！

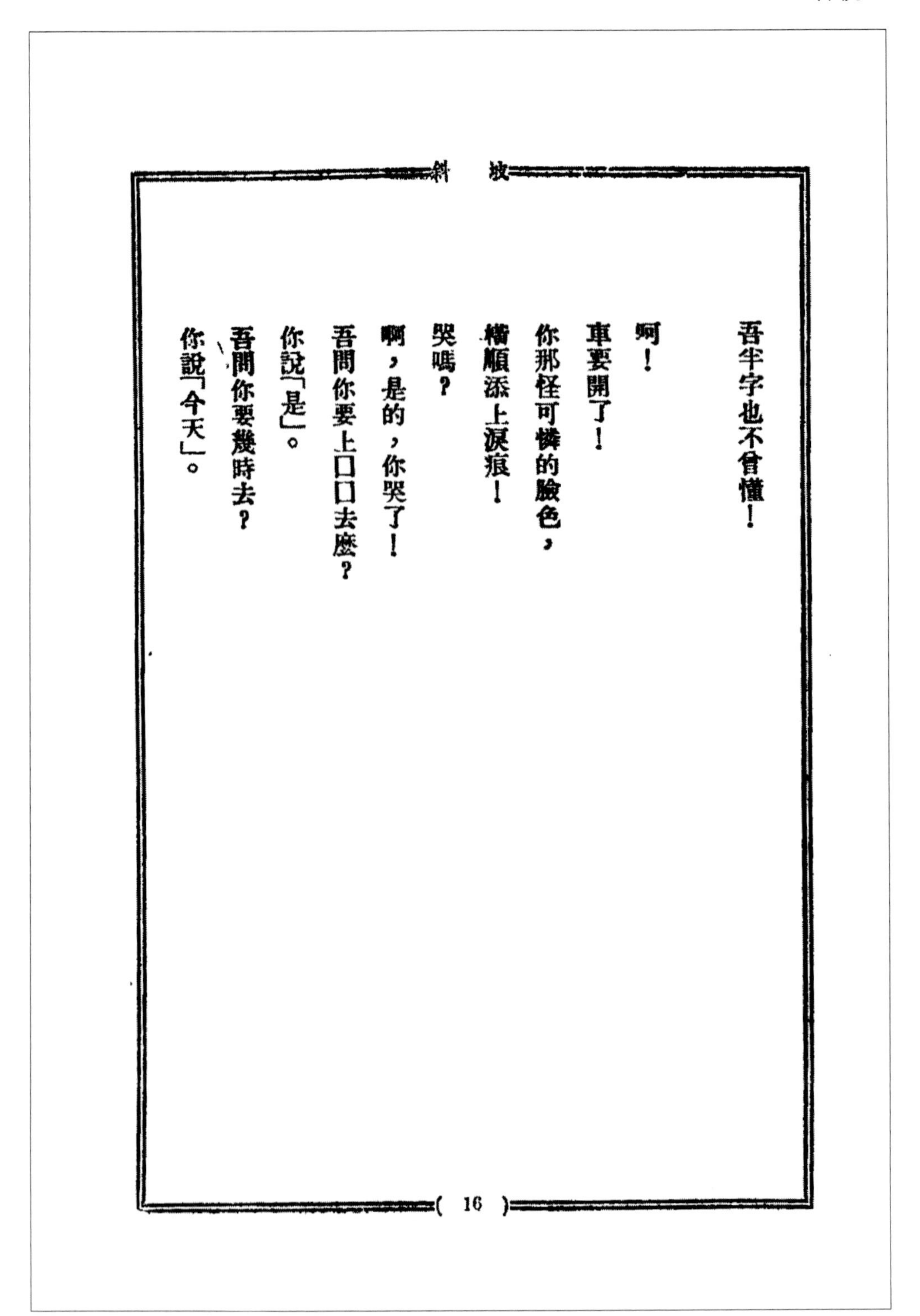

吾半字也不曾懂！

啊！
車要開了！
你那怪可憐的臉色，
橫順添上淚痕！
哭嗎？
啊，是的，你哭了！
吾問你要上口口去麼？
你說「是」。
吾問你要幾時去？
你說「今天」。

吾狠詫異地問你何不跟吾走？
那時你便不答了，
打個轉兒從白茫茫狠像樓閣的荒野走進去。

呵，火車開了！
你的影兒漸小漸小，
以至於銷滅了。
呵，一派迷濛的樓閣似的白雲，
歸路也沒有了，
前路也沒有了、
四圍的景色給綿軟的白雲鎖住了。

十一年十一月廿日下午追誌

悲秋 有序

暮秋之夕，散步校園，但見鞠花相率搖落，非復從前嬌嫩之態。正感慨間，又見許師與其夫人攜兒來遊。吾方嘆世間有心人之多也。歸寓賦此，聊誌悲感，並呈許師，許師覩之，或當啞然失笑也乎？

美人點臏的胭脂，
染的這般紅透！
美人傅臏的鉛華，
染的這般瑩潔！
美人裁錦的翦刀，
翦的這般繁翠。
又滑，又亮，

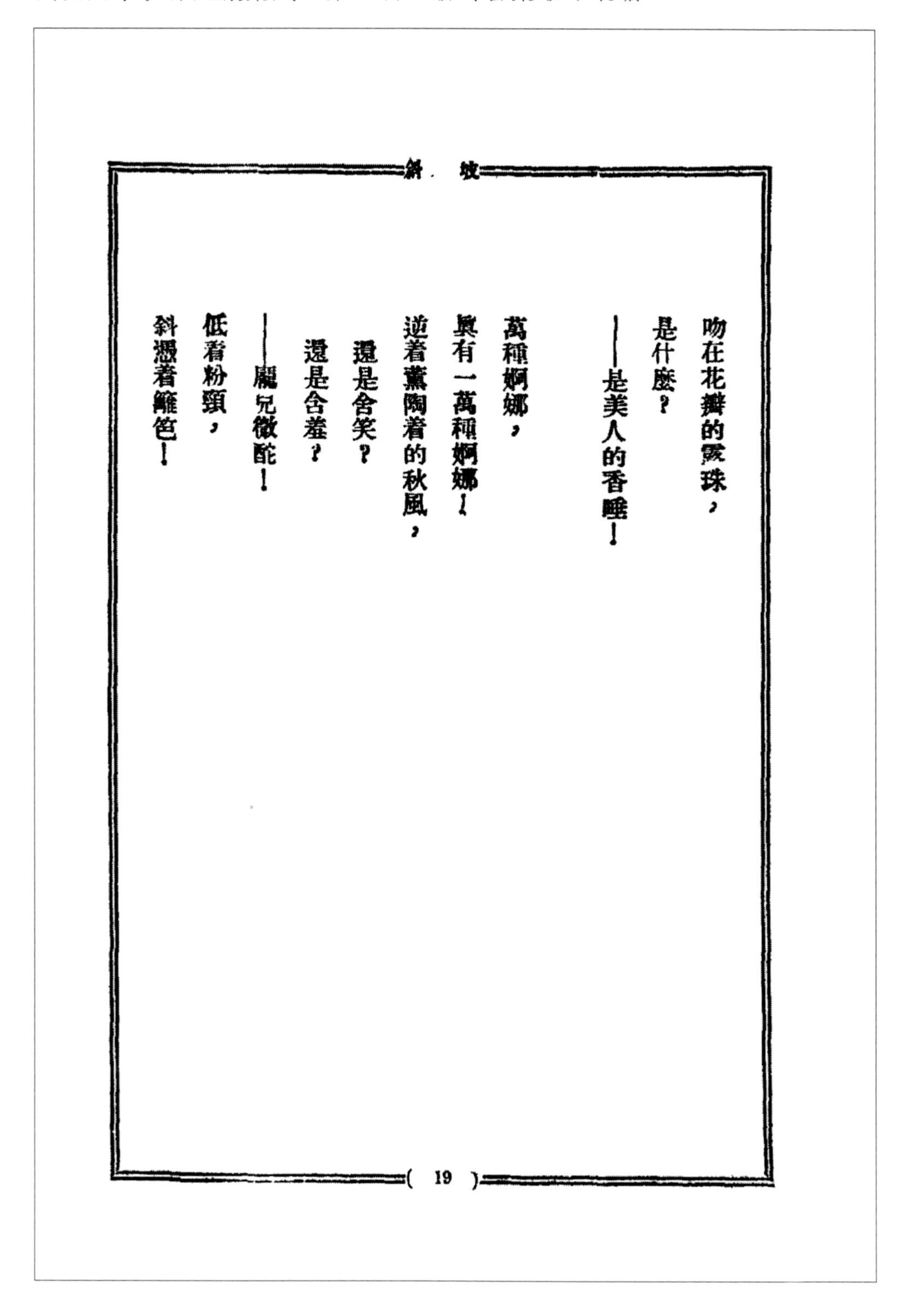

吻在花瓣的露珠，
是什麼？
——是美人的香唾！

萬種婀娜，
與有一萬種婀娜！
逆着薰陶着的秋風，
還是含笑？
還是含羞？
——麗兒微酡！
低着粉頸，
斜憑着籬笆！

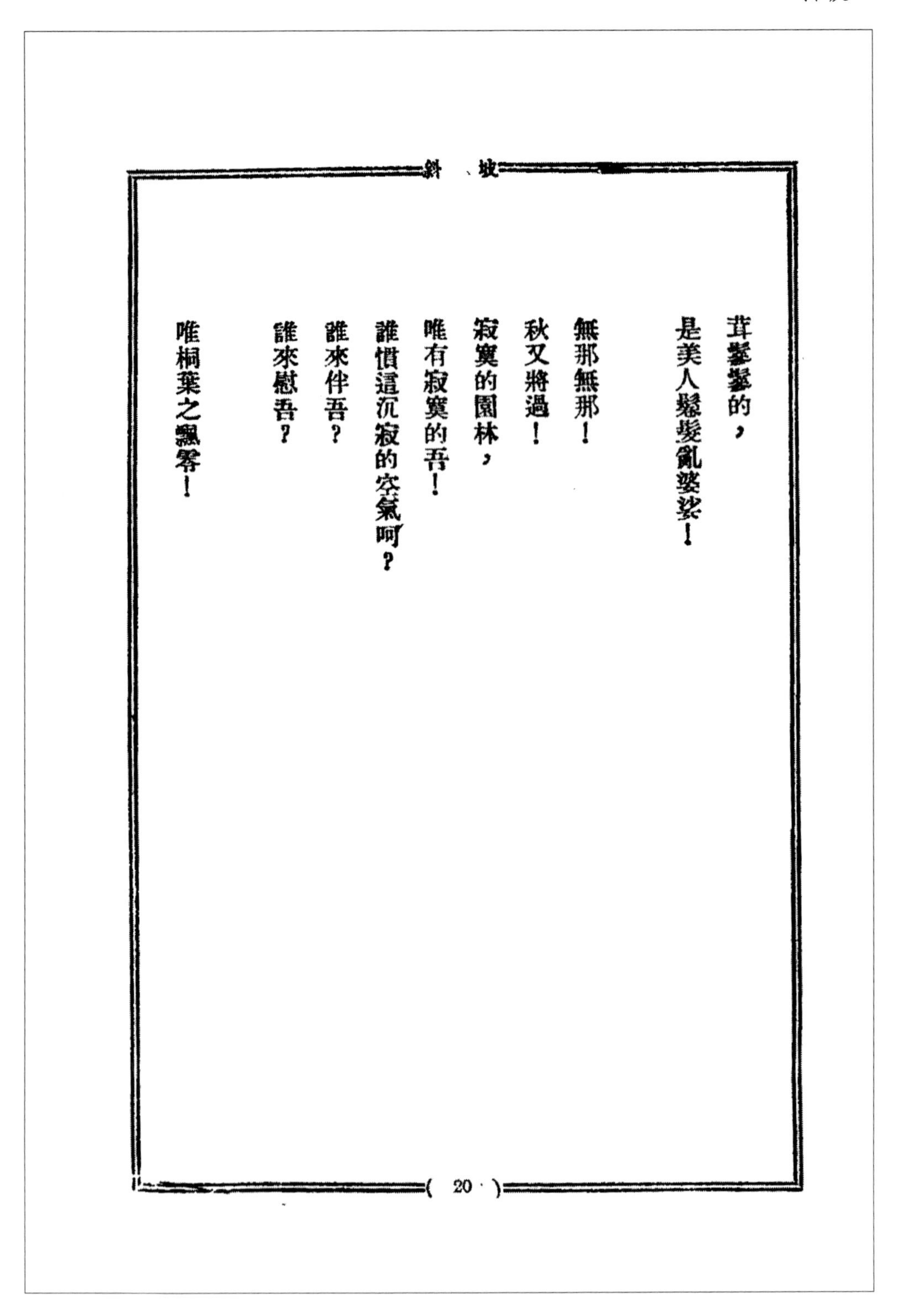

斜坡

茸鬖鬖的，
是美人鬆髮亂婆娑！

無那無那！
秋又將過！
寂寞的園林，
唯有寂寞的吾！
誰慣這沉寂的空氣呵？
誰來伴吾？
誰來慰吾？

唯桐葉之飄零！

（20）

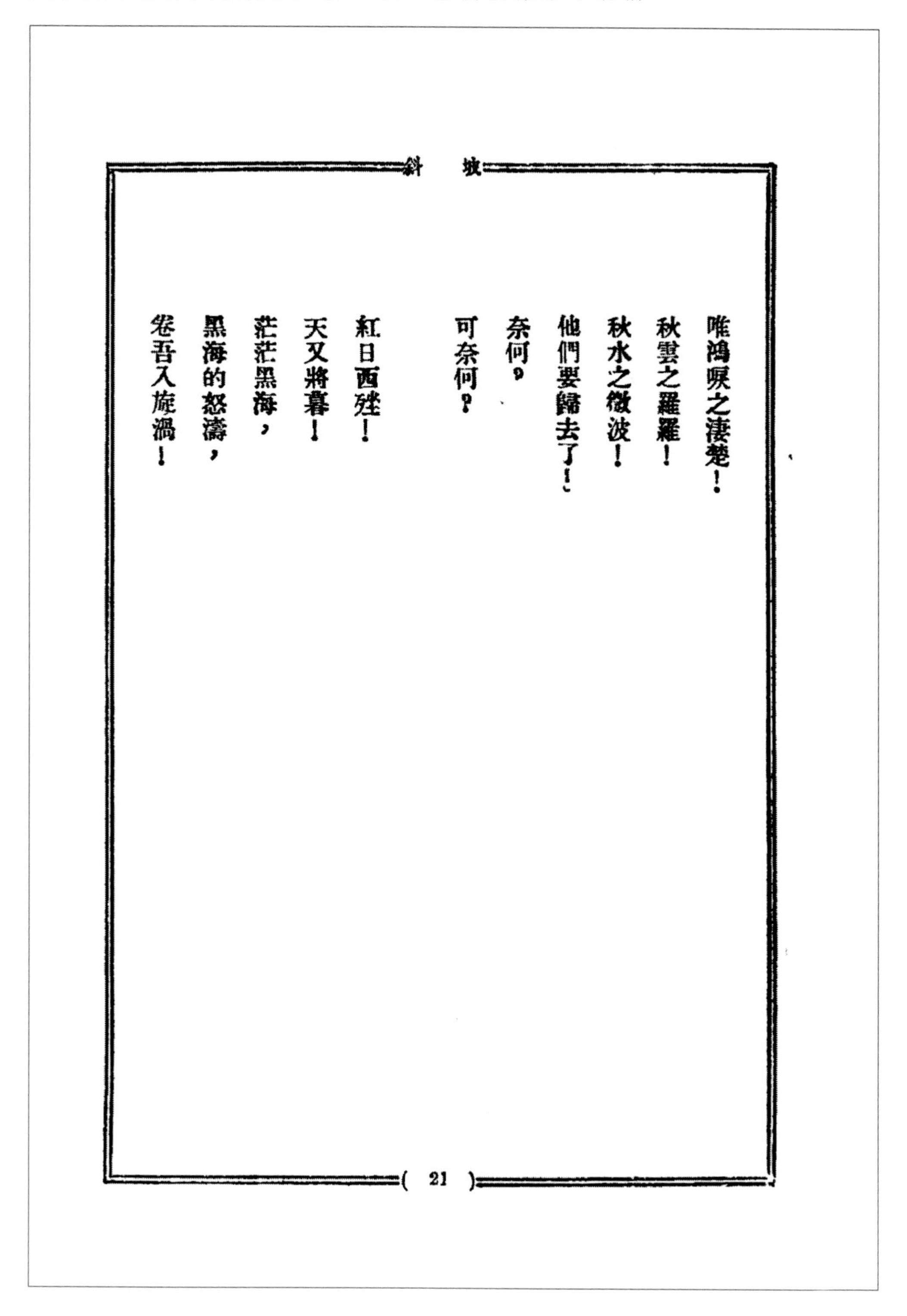

唯鴻溟之淒楚！
秋雲之羅羅！
秋水之微波！
他們要歸去了！
奈何？
可奈何？

紅日西殘！
天又將暮！
茫茫黑海，
黑海的怒濤，
卷吾入旋渦！

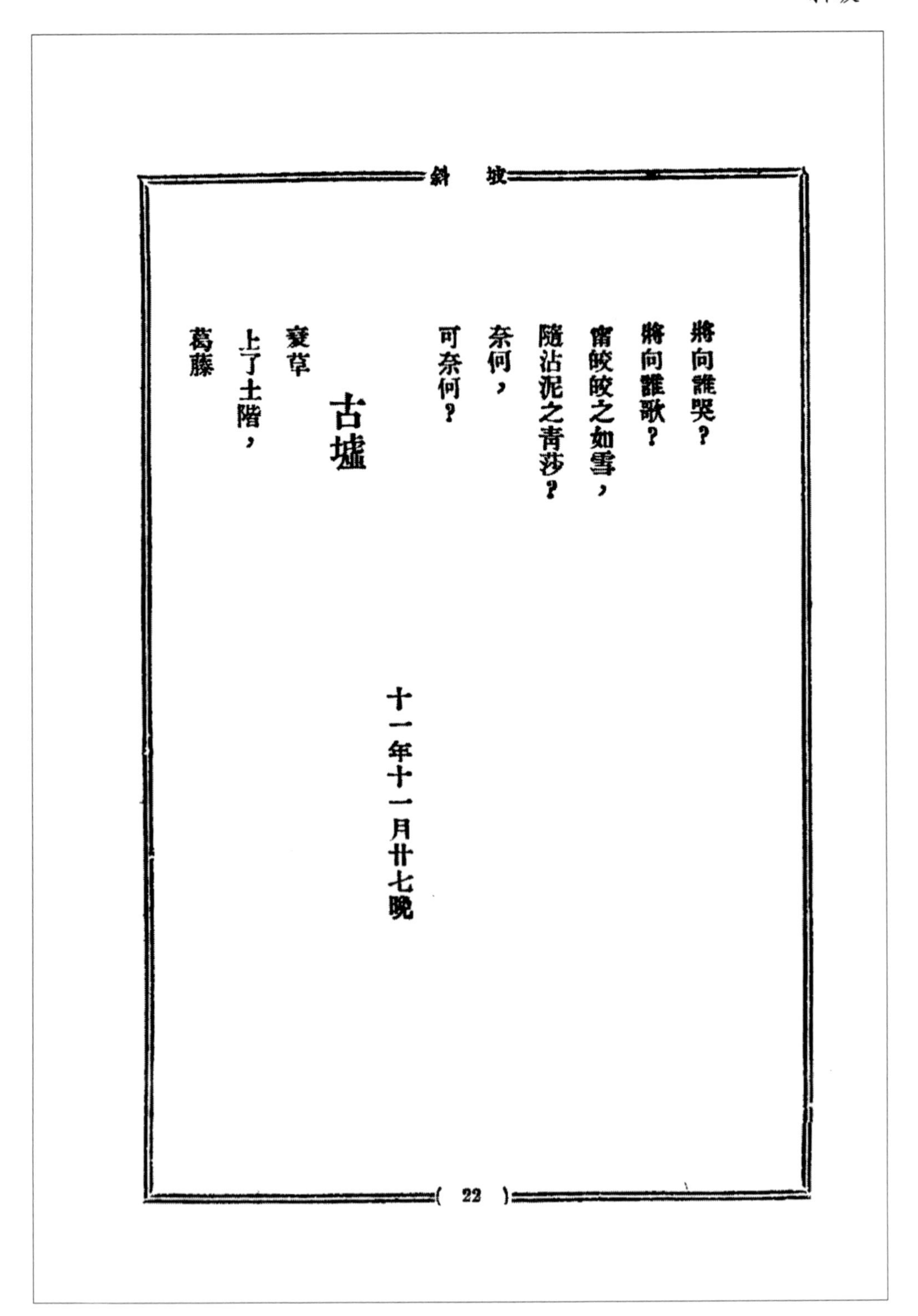

將向誰哭？

將向誰歌？

皚皎皎之如雪，

隨沾泥之青莎？

奈何，

可奈何？

十一年十一月廿七晚

古墟

衰草

上了土階，

葛藤

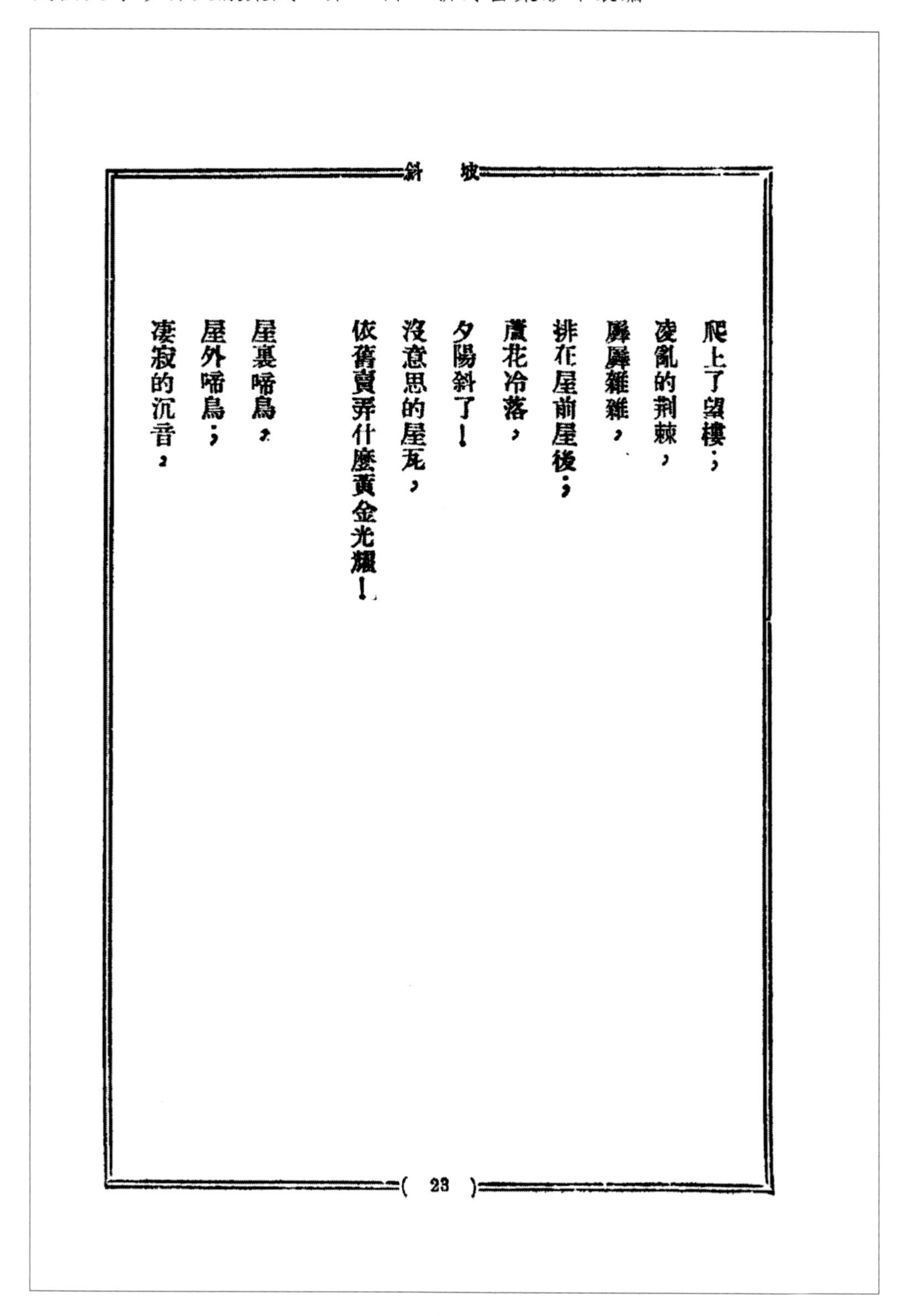

斜坡

爬上了望樓；
淩亂的荆棘，
羼羼雜雜，
排在屋前屋後；
蘆花冷落，
夕陽斜了！
沒意思的屋瓦，
依舊賣弄什麼黃金光耀！

屋裏啼鳥，
屋外啼鳥；
凄寂的沉音，

在悶鬱的空中震盪、繚繞！
粉蝶兒
——打翻身就飛出去！
瓦雀們
——老早搬家去了。
可憐一座樂園，
巢了多麽野鳥！

十一年十二月一日下午

夜月的歸途

背着月兒走，
影兒在前，
人兒在後。

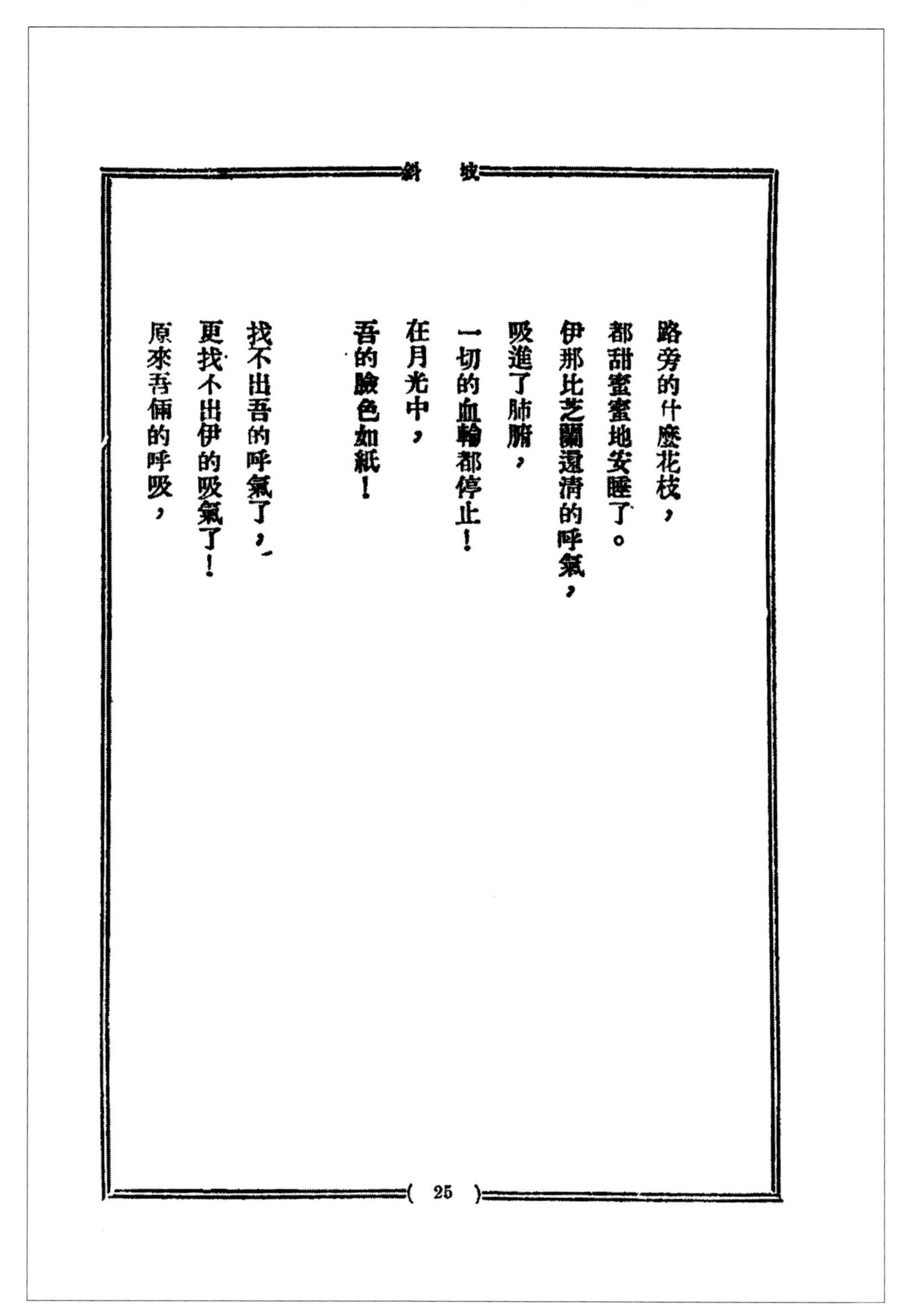

路旁的什麼花枝，
都甜蜜蜜地安睡了。
伊那比芝蘭還清的呼氣，
吸進了肺臟，
一切的血輪都停止！
在月光中，
吾的臉色如紙！

找不出吾的呼氣了，
更找不出伊的吸氣了！
原來吾倆的呼吸，

組合了。

啊！

吾的心房亂跳！

竟沒法壓止伊的亂跳！

十一年十二月一晚

自國樂團無形解散以後。久沒有給人合奏；今夜——月白於玉的良夜——適周君道源來舍，重翻舊調，謞謞的和聲中，委實有一種莫可名狀的快感！

松濤的洶湧！

秋雨的霖鈴！

寒夜的砧杵！

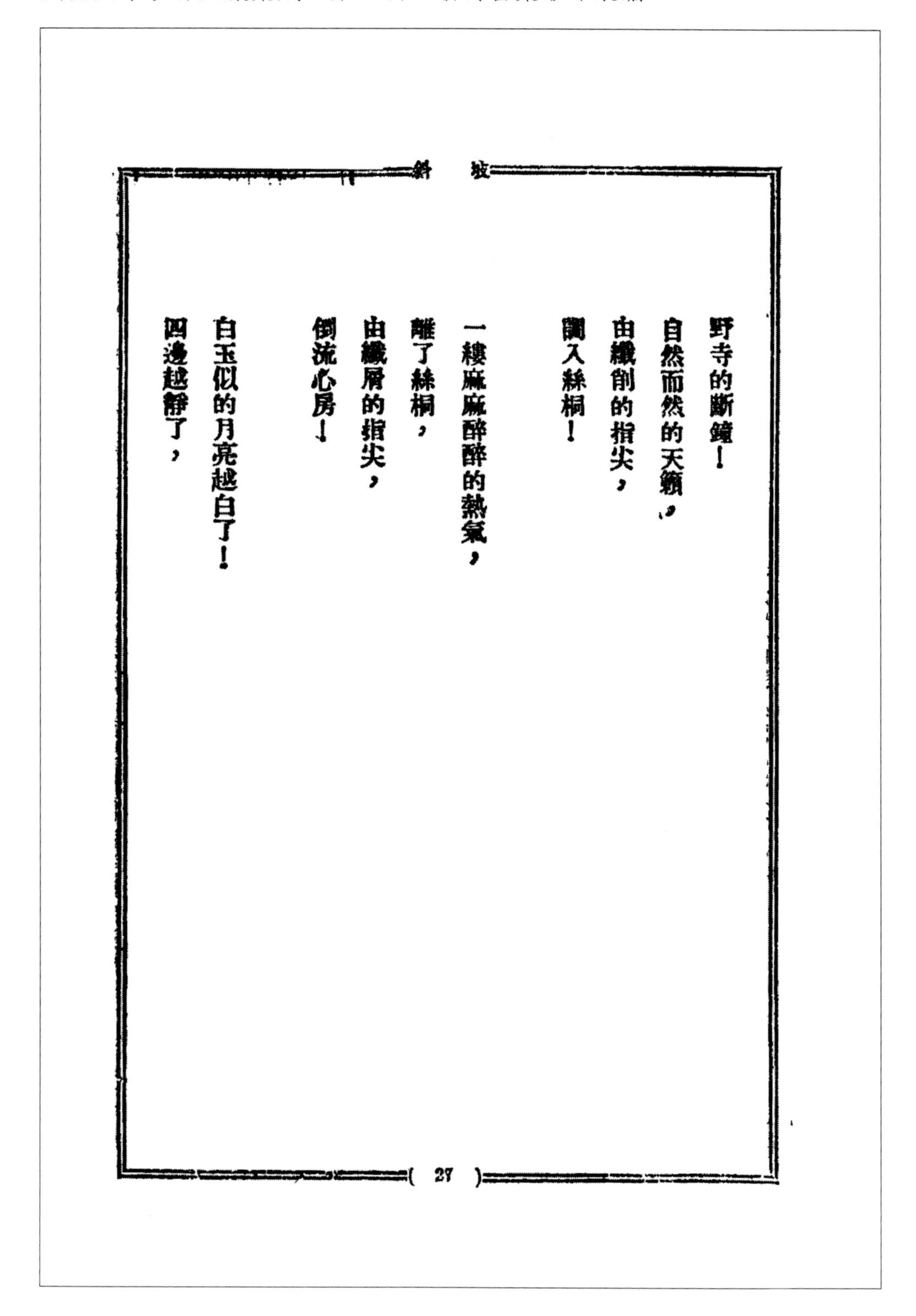

野寺的斷鐘！
自然而然的天籟，
由纖削的指尖，
闖入絲桐！

一縷麻麻醉醉的熱氣，
離了絲桐，
由纖屑的指尖，
倒流心房！

白玉似的月亮越白了！
四邊越靜了，

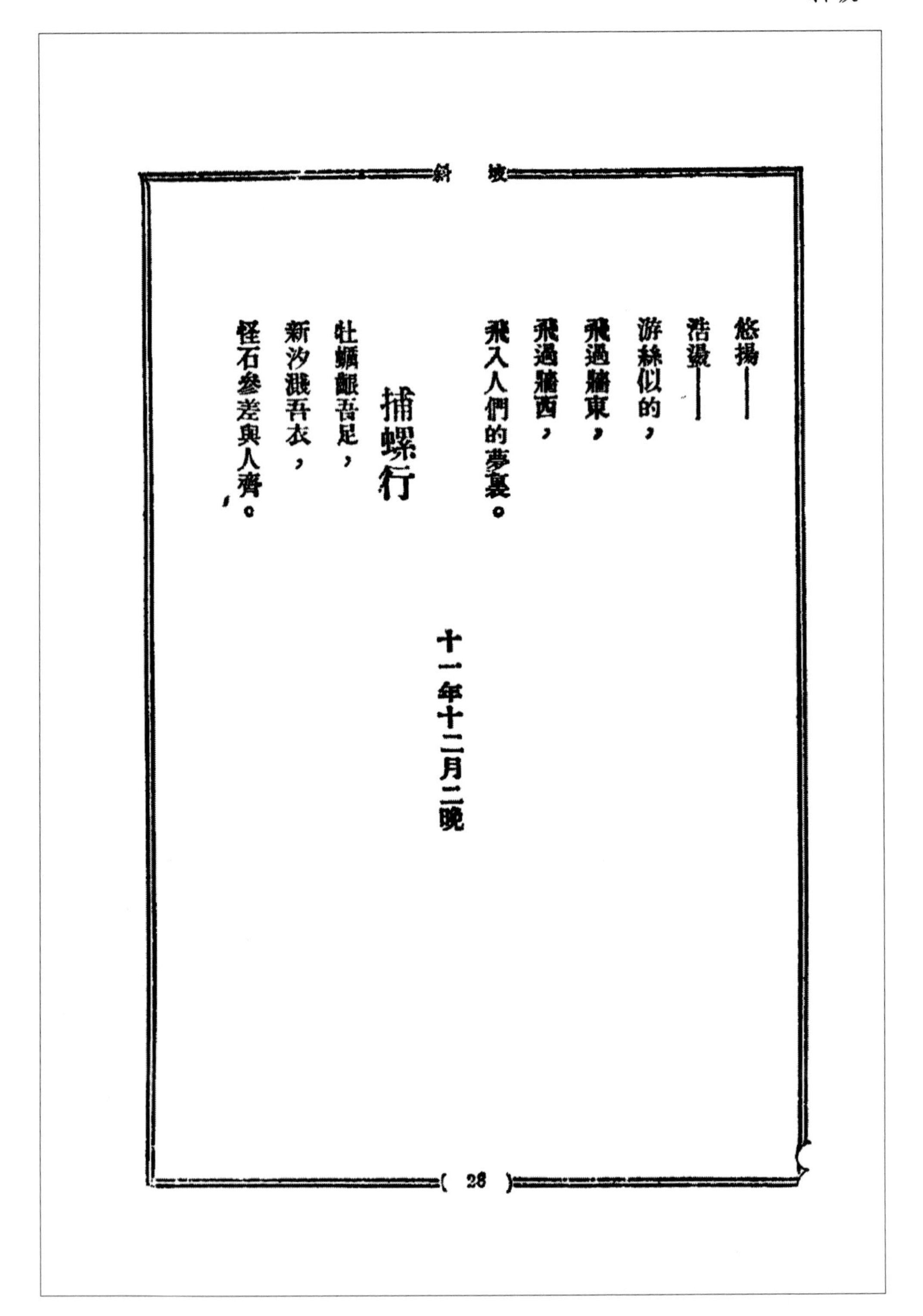

悠揚——
浩盪——
游絲似的，
飛過牆東，
飛過牆西，
飛入人們的夢裏。

十一年十二月二晚

捕螺行

牡蠣齦吾足，
新汐濺吾衣，
怪石參差與人齊，。

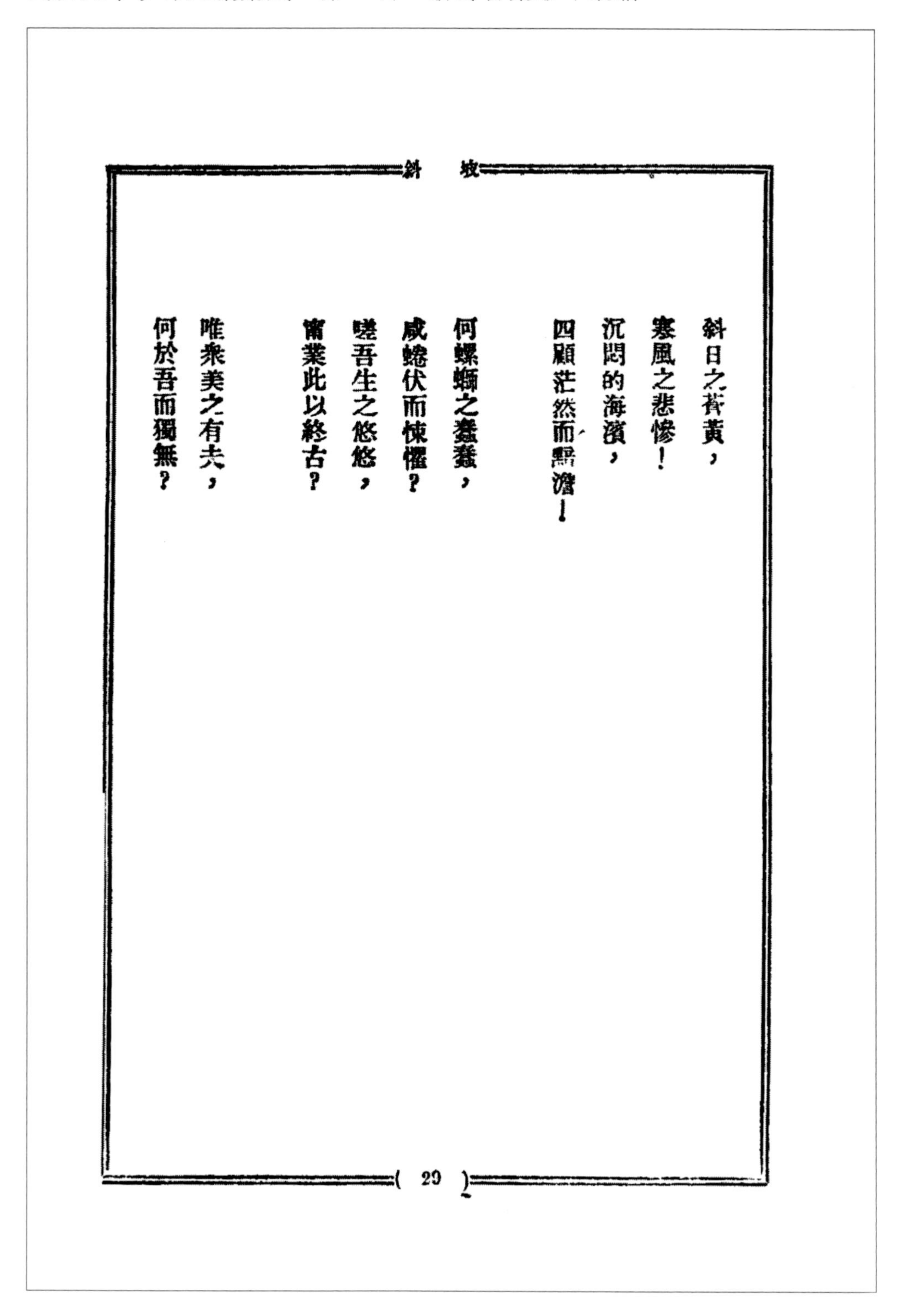

斜日之蒼黃，
寒風之悲慘！
沉悶的海濱，
四顧茫然而黯澹！

何螺螄之蠢蠢，
咸蜷伏而悚懼？
嗟吾生之悠悠，
甯業此以終古？
唯衆美之有夫，
何於吾而獨無？

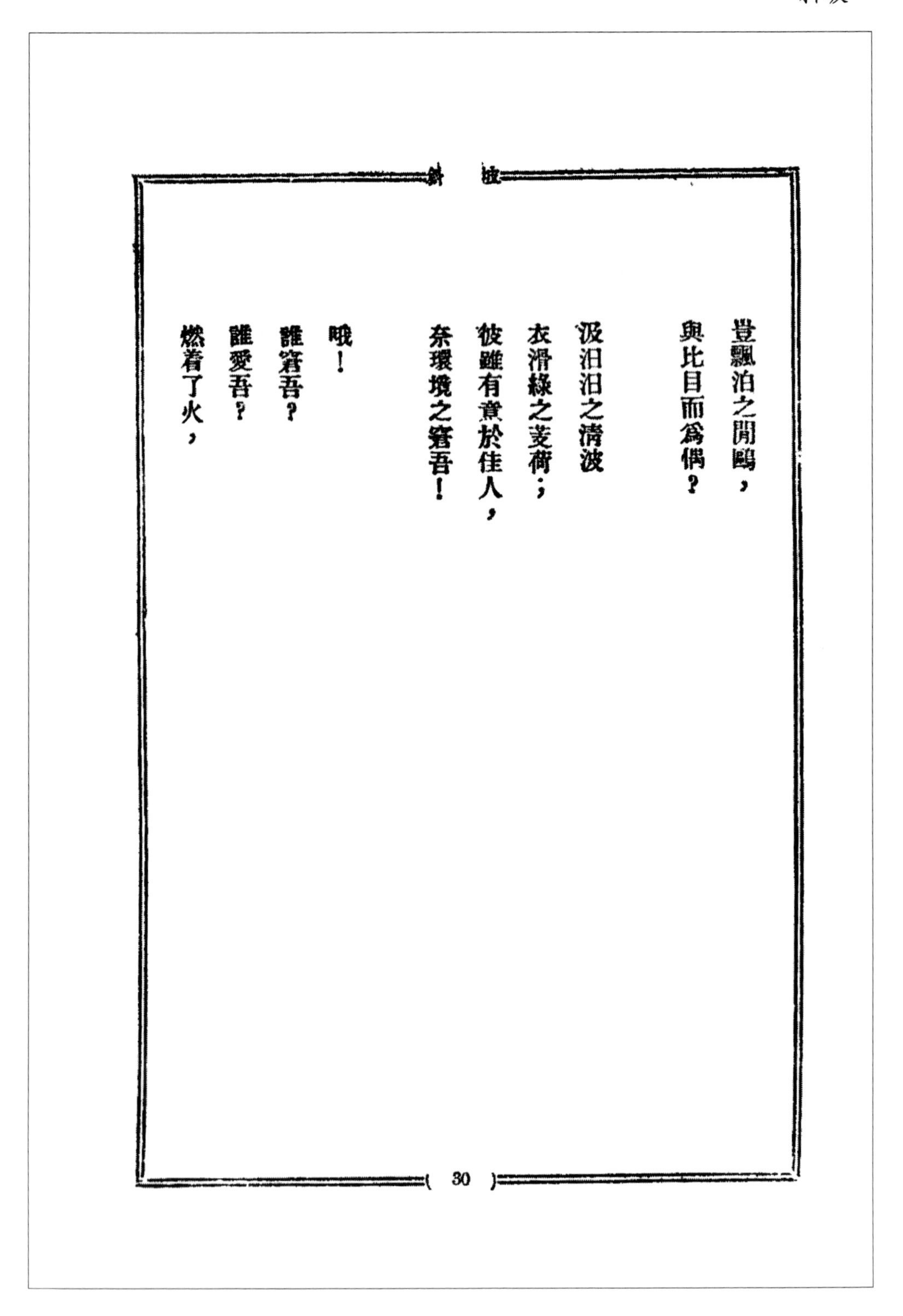
斜 坡
豈飄泊之閒鷗，
與比目而為偶？
汲汩汩之清波
衣滑綠之菱荷；
彼雖有意於佳人，
奈環境之窘吾！
哦！
誰窘吾？
誰愛吾？
燃着了火，
30

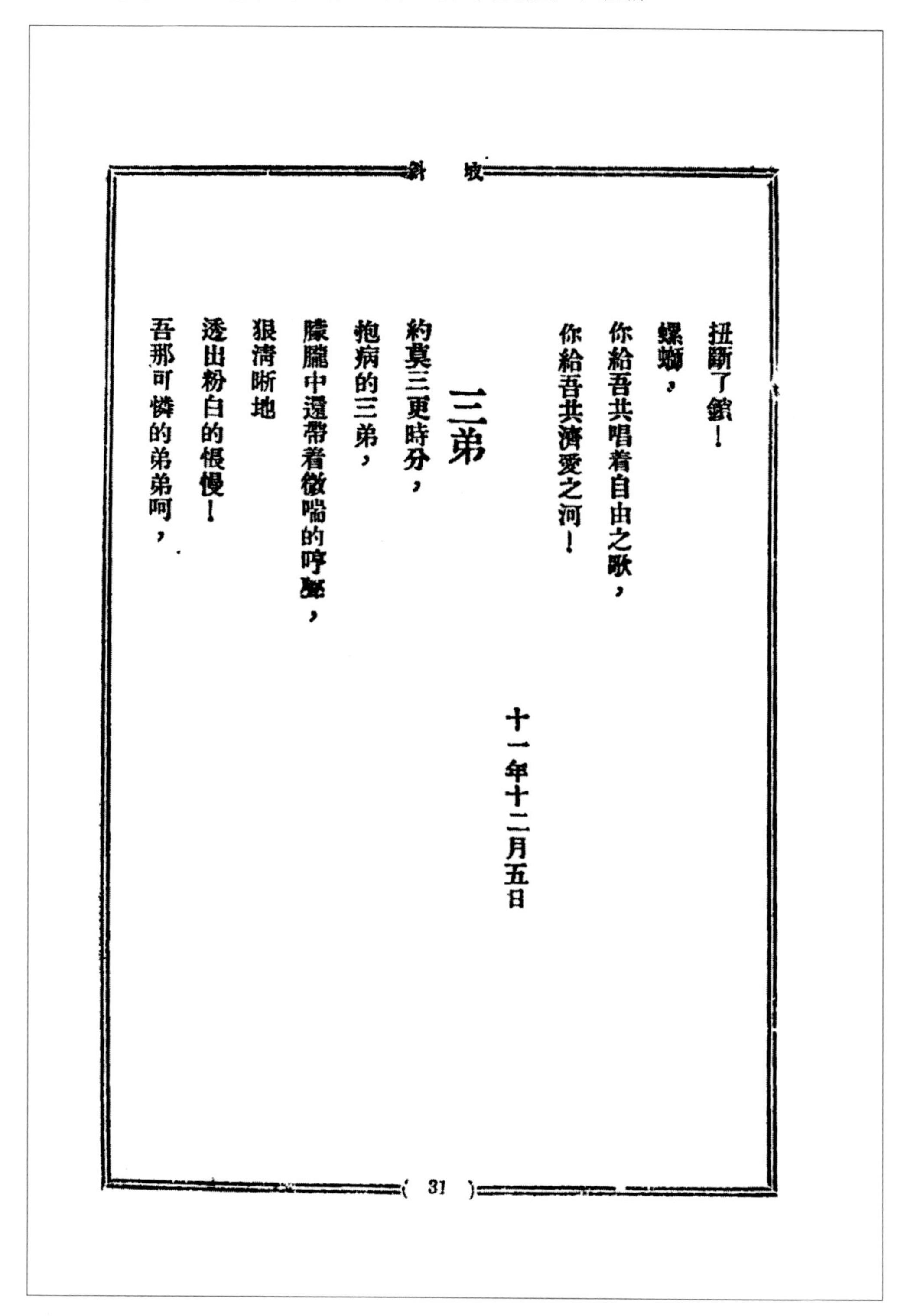

扭斷了鍊！
螺螄，
你給吾共唱着自由之歌，
你給吾共濟愛之河！

十一年十二月五日

三弟

約莫三更時分，
抱病的三弟，
朦朧中還帶着微喘的哼聲，
狠清晰地
透出粉白的悵慢！
吾那可憐的弟弟呵，

你睡不着，
敎人如何睡着——

十一年十二月六晚枕上

晚霞

比血液涼濇些，
而且多得緊了！
這或者是四萬萬鬼病懨懨的國民的血液吧。

十一年十二月十三傍晚

燈蛾

撲火的燈蛾，
死在火裏了；
可是死者自死，

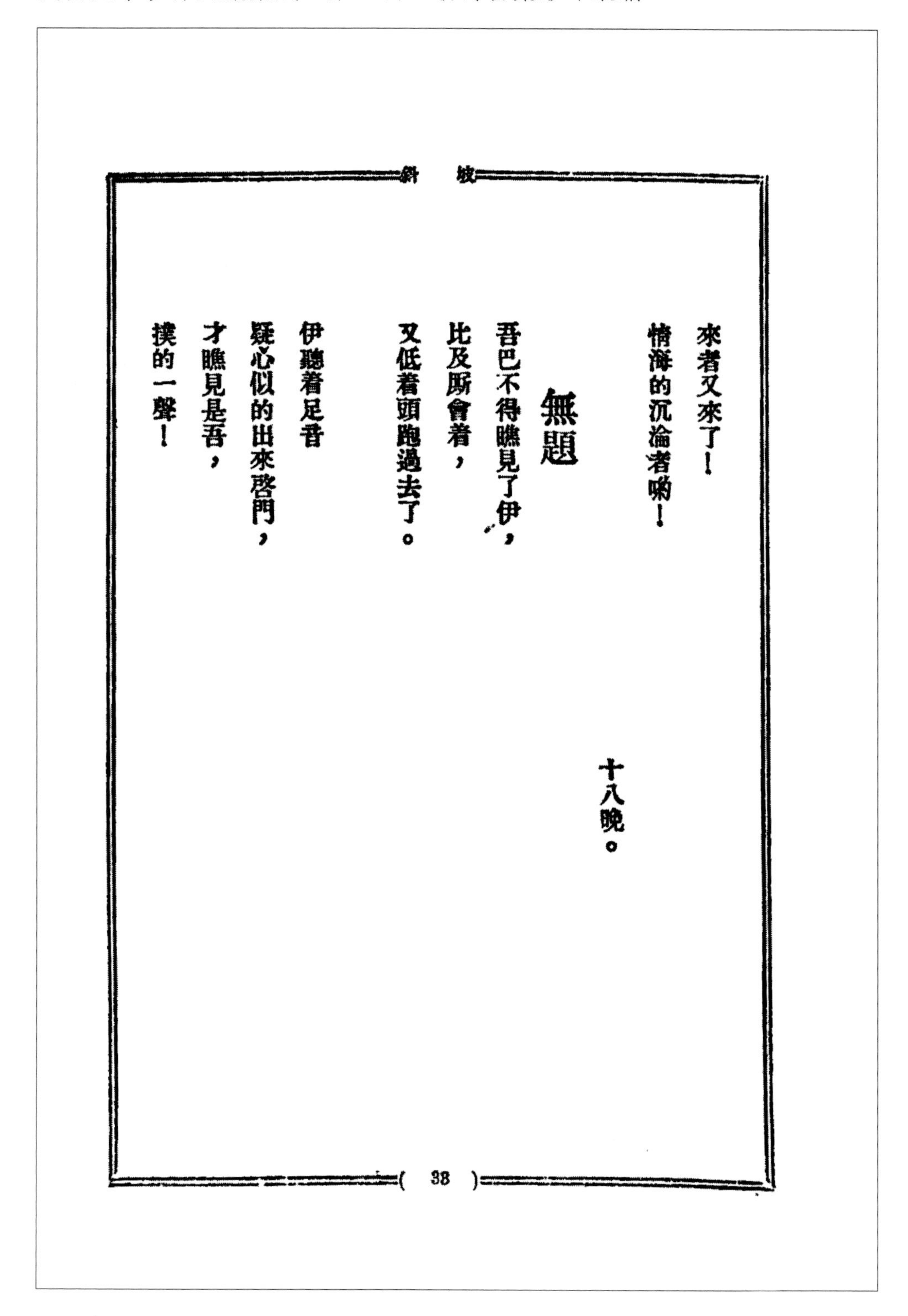

來者又來了！
情海的沉淪者喲！

十八晚。

無題

吾巴不得瞧見了伊，
比及厮會着，
又低着頭跑過去了。

伊聽着足音
疑心似的出來啓門，
才瞧見是吾，
撲的一聲！

又把門兒掩了！

十一年十二月十九日

親吻

你慣給愛情做冰人，
愛情有時而替，
你永遠留在各的櫻桃上。

十一年十二月二十日

無題

明明伊是女性的，
可是吾統要狐疑；
為什麼長的這樣聰明穠艷，
還有性的區別呵？

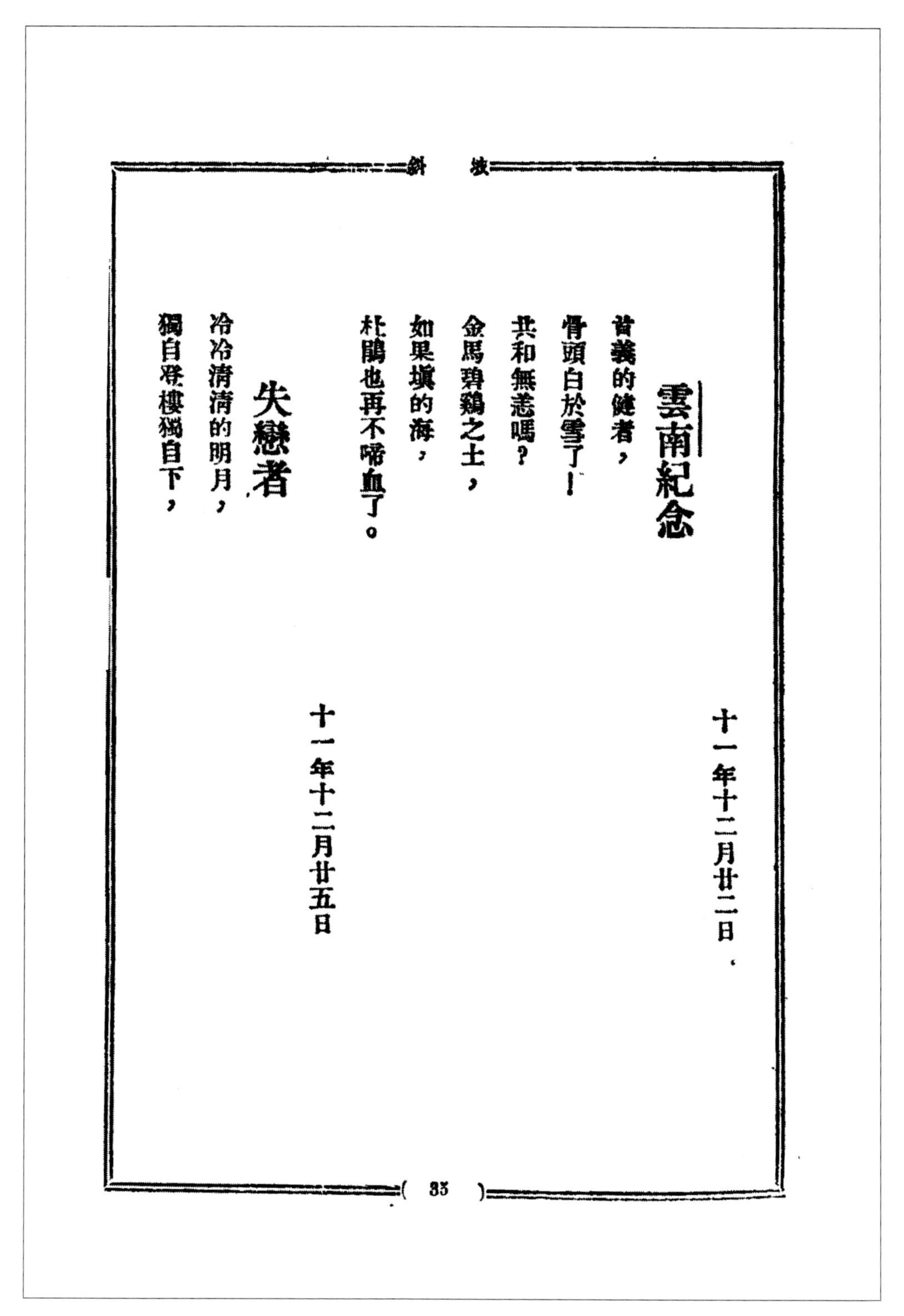

雲南紀念

首義的健者，
骨頭白於雪了！
共和無恙嗎？
金馬碧雞之土，
如果塡的海，
杜鵑也再不啼血了。

十一年十二月廿二日

失戀者

冷冷清清的明月，
獨自登樓獨自下，

十一年十二月廿五日

是一位失戀者呵。

傍籬附壁的傲鞠
花開花謝無人管，
是一位失戀者呵。

失戀的人們，
對着她倆，
只是長吁短嘆！
她倆當然慶得伴侶了。

本色

十一年十二月廿六日

臨殺的雄雞，
還在唱曉；
眞英雄本色喲！

十一年十二月廿九日

渡海

北風煽動的洪爐，
蒸沸了巨海；
他發狂了！
牠把他身上的船隻狠命的簸擺
兇惡啊！
吾雖然不想回去，
無奈弟弟已在海濱悵望了。

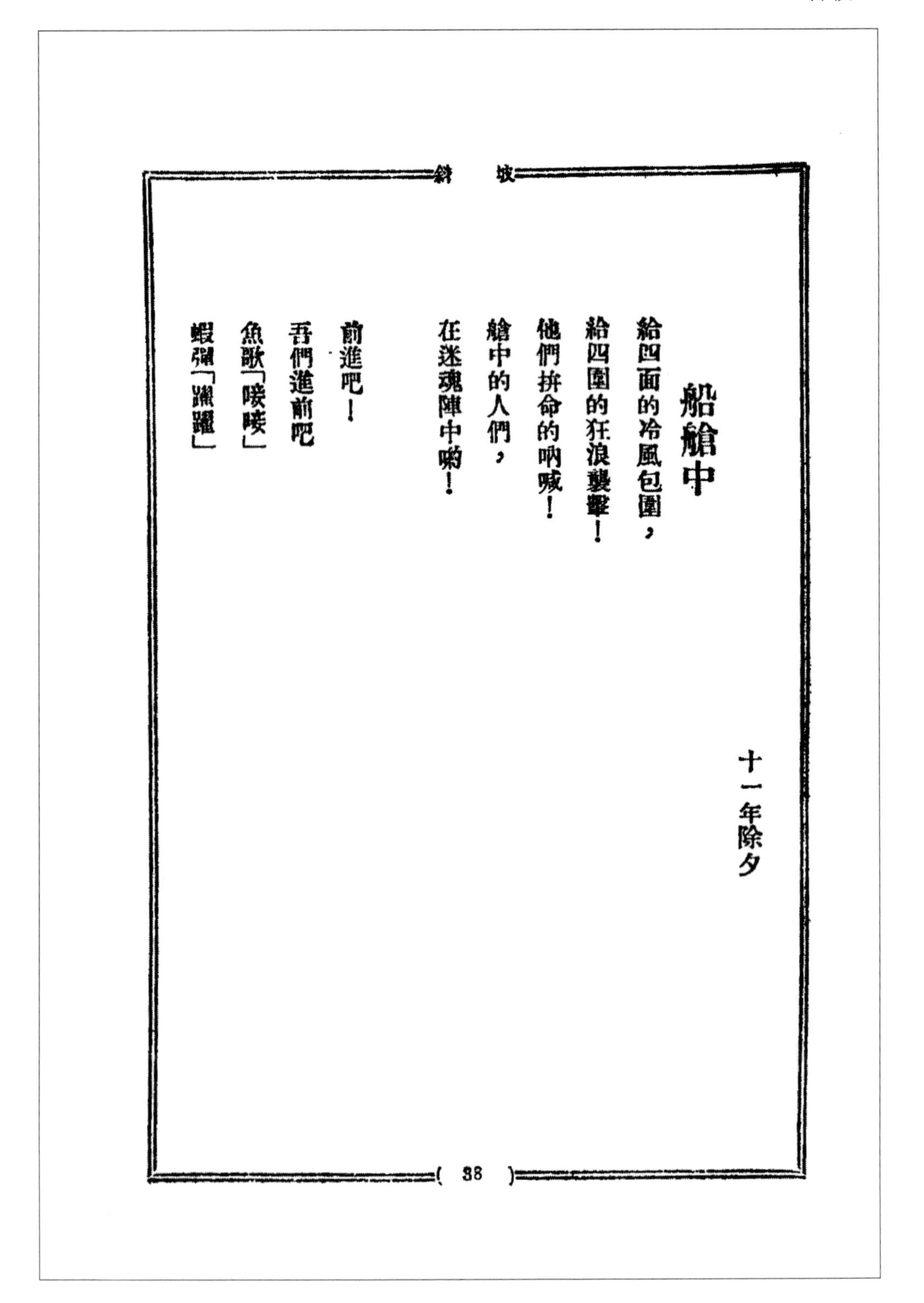

船艙中

給四面的冷風包圍，
給四圍的狂浪襲擊！
他們拚命的吶喊！
艙中的人們，
在迷魂陣中喲！
前進吧！
吾們進前吧
魚歌「唉唛」
蝦彈「躐躍」

十一年除夕

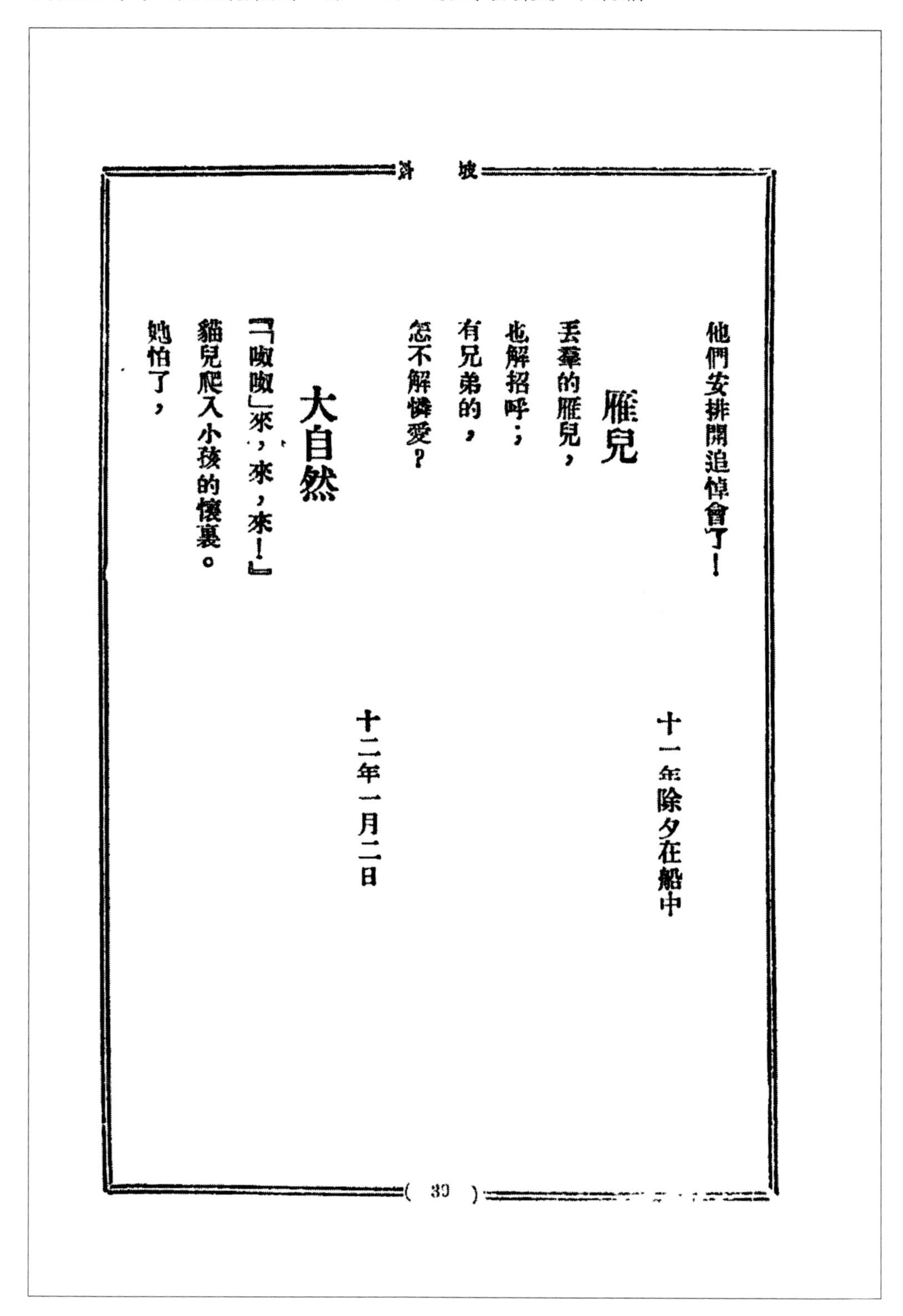

他們安排開追悼會了！

十一年除夕在船中

雁兒

丟羣的雁兒，
也解招呼；
有兄弟的，
怎不解憐愛？

十二年一月二日

大自然

「咪咪」來，來，來！」
貓兒爬入小孩的懷裏。
她怕了，

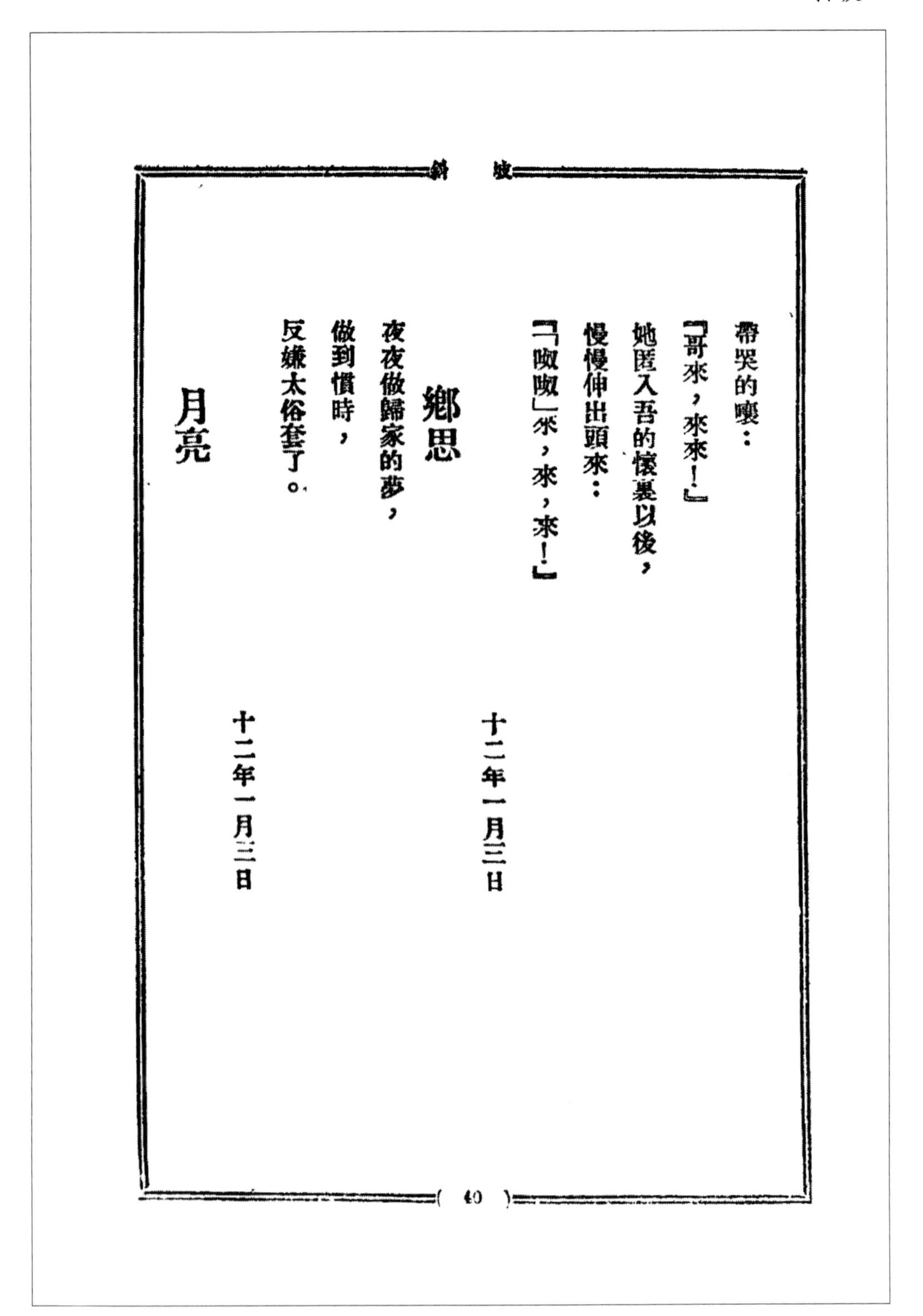

帶哭的嚷：
「哥來，來來！」
她匿入吾的懷裏以後，
慢慢伸出頭來：
「啾啾」來，來，來！」

十二年一月三日

鄉思

夜夜做歸家的夢，
做到慣時，
反嫌太俗套了。

十二年一月三日

月亮

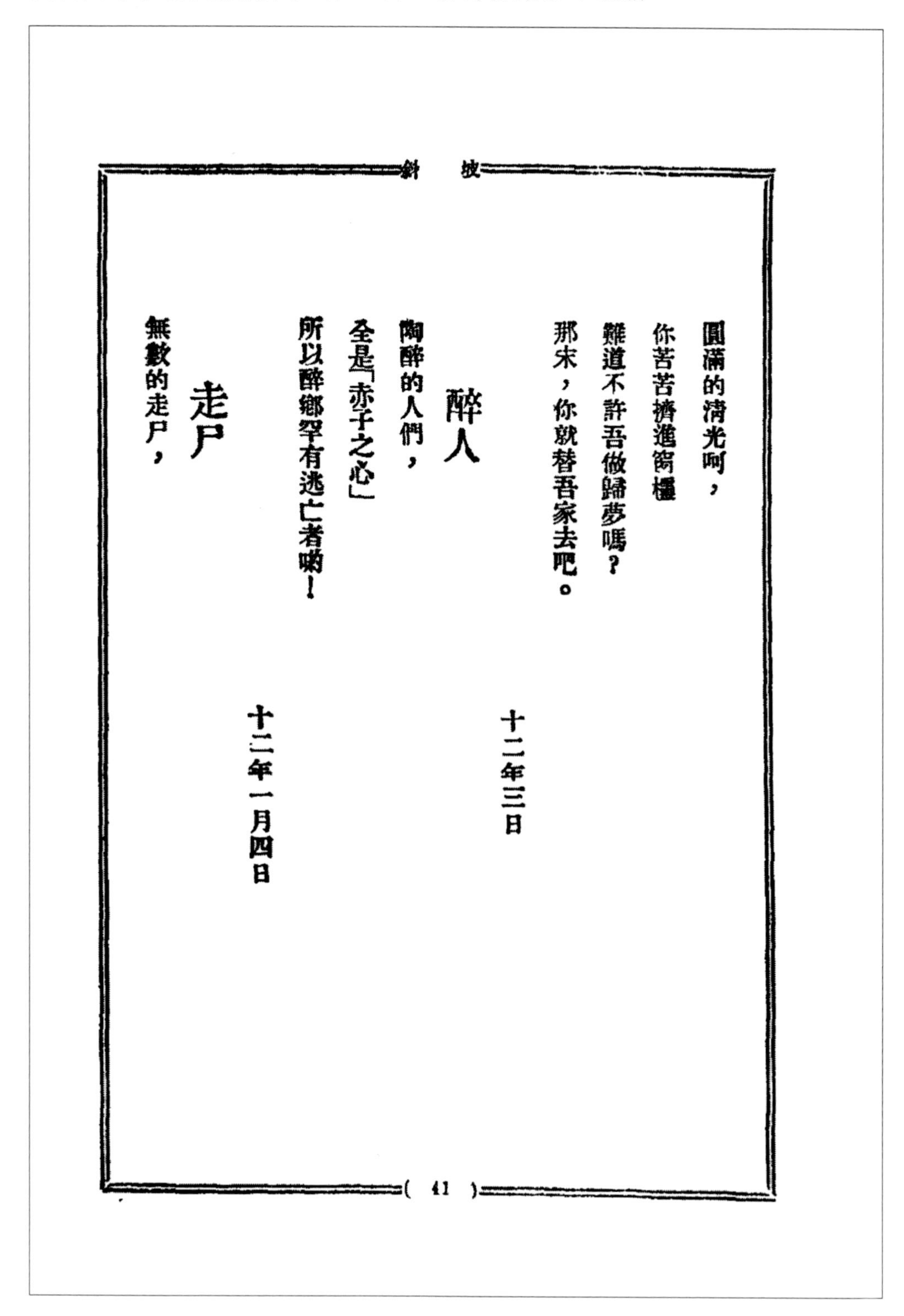

圓滿的清光呵，
你苦苦擠進窗櫺
難道不許吾做歸夢嗎？
那末，你就替吾家去吧。

十二年三日

醉人

陶醉的人們，
全是「赤子之心」
所以醉鄉罕有逃亡者喲！

十二年一月四日

走尸

無數的走尸，

聚慶重生，
吾們看他活幾時啊。
　已死的人，感電起行，名曰走尸。
　　　　十二年一月四日

宇宙

爐火紅後，
頑鐵就融化了！
夕陽紅後，
宇宙就融化了。
　　　　十二年一月五日

母親的心

最不長進的，

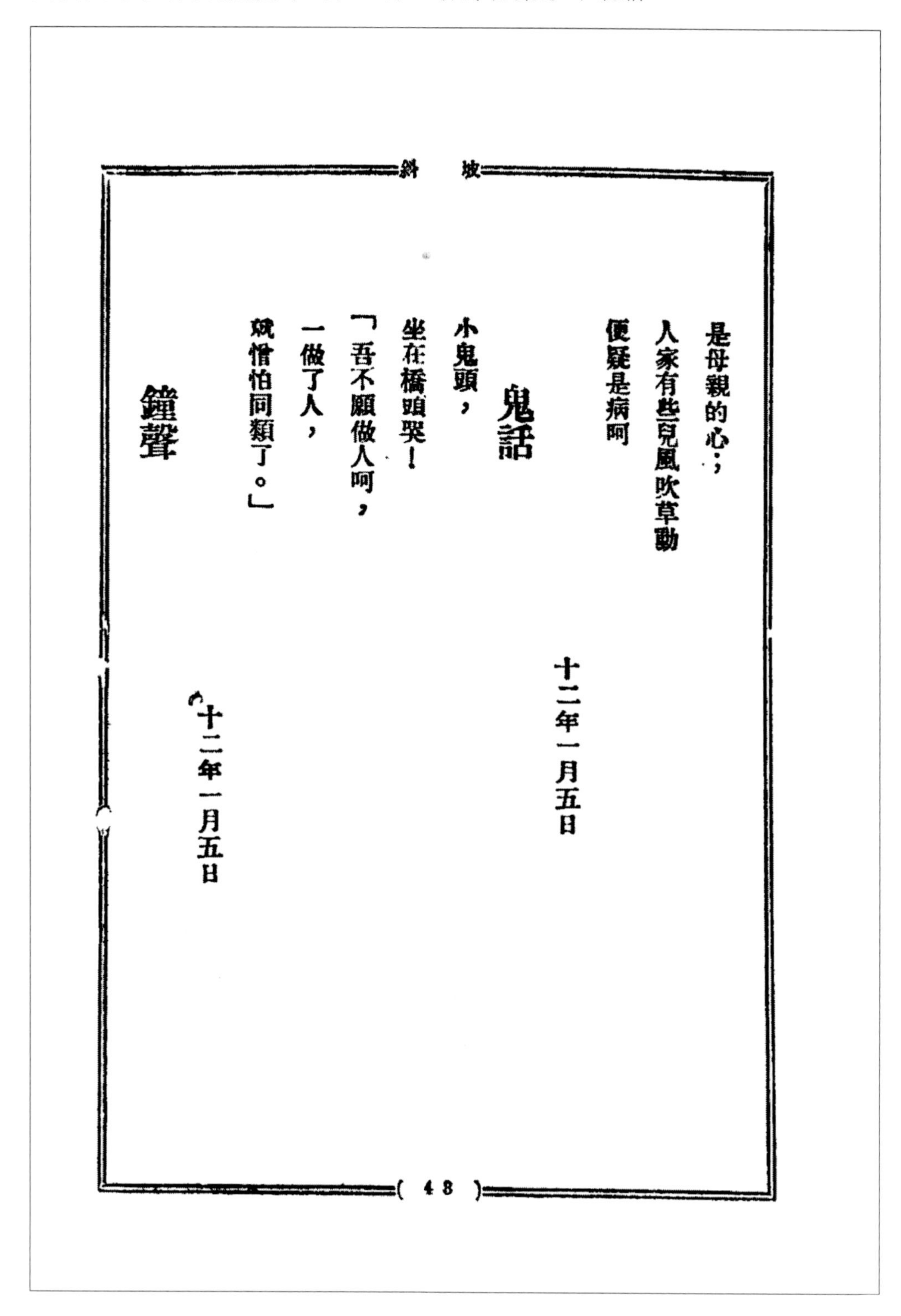

是母親的心；
人家有些兒風吹草動
便疑是病呵

十二年一月五日

鬼話

小鬼頭，
坐在橋頭哭！
「吾不願做人呵，
一做了人，
就憎怕同類了。」

十二年一月五日

鐘聲

催吾起
喚吾食，
追吾操作，而且不受吾的感謝。
吾的爸媽呵。

十二年一月五日

杜門

無禮的太陽，
把他的尾梢，
硬擩進門縫來！
吾偏不開，
你擩到黑吧。

十二年一月六日

墓田之花

你吸了墓中人的膏血，
還在他頭上開花呵。

十二年一月六日

黑白之爭

夕陽將身一抖，
收上了毫毛；
黑暗乘機把他嚥下去。

十二年一月六日

足印

去去來來
海灘上行人丟下的足印，

而今找不着業主了。
可是經一番潮水的淘汰，
又悄悄跟他跑了。

十二年一月六日

潮水

「錯呵」「錯呵」
潮兒雖然這般說，
却只是進攻呵。

十二年一月六日

波音

跟波對流時候，
呼吸微微哼着——

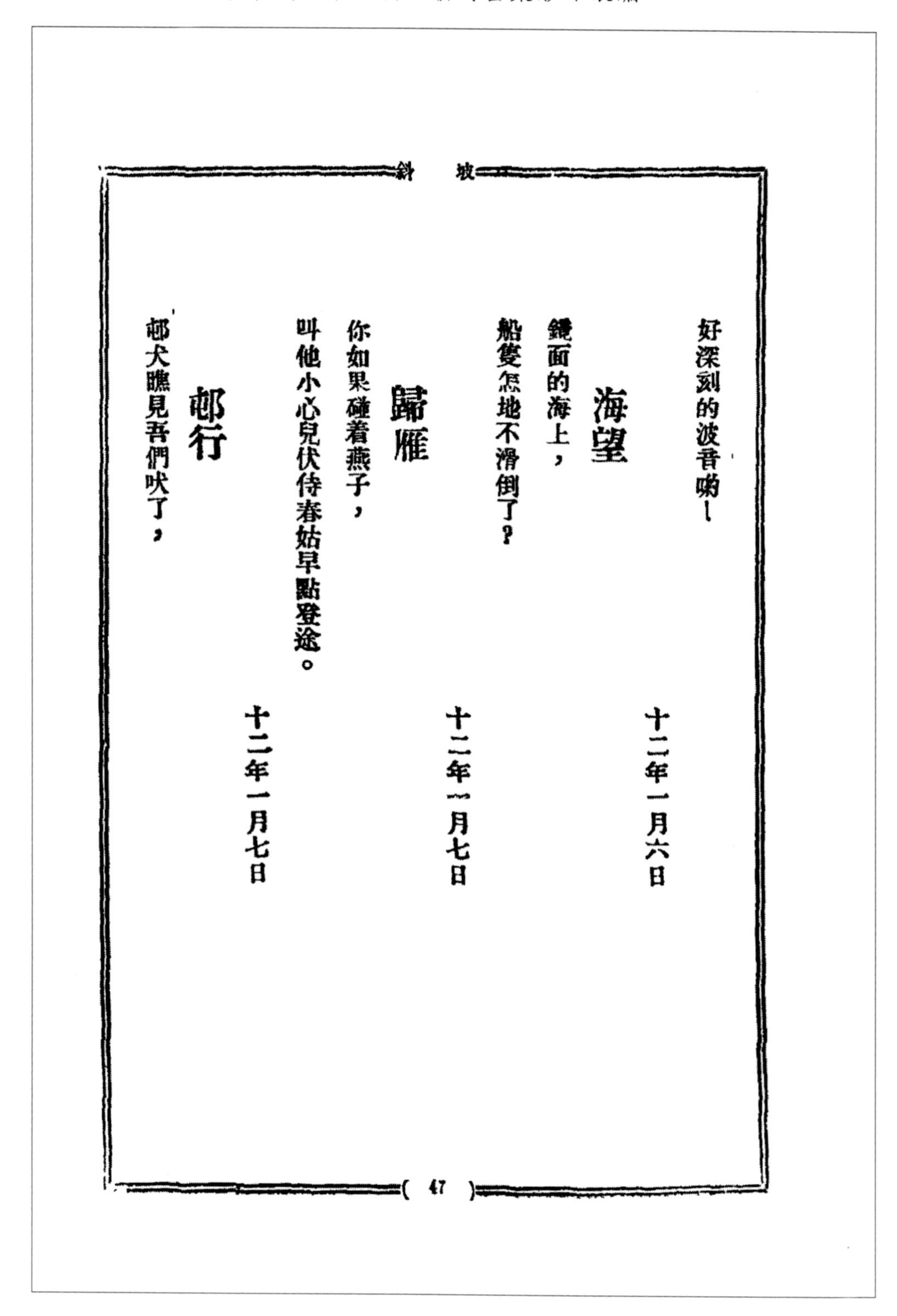

好深刻的波音喲！

十二年一月六日

海望

鏡面的海上，
船隻怎地不滑倒了？

十二年一月七日

歸雁

你如果碰着燕子，
叫他小心兒伏侍春姑早點登途。

十二年一月七日

郵行

郵犬瞧見吾們吠了，

郁姑瞧見吾們笑了！
但笑了以後就走進去，
此時嗁鳥無聲了，

十二年一月七日

時、鐘

人們的日子給你越算越少了。

十二年一月七日

學校印象

機械式的學校的學生，
是圖案畫的花紋，
和標本室中的物質。

第二

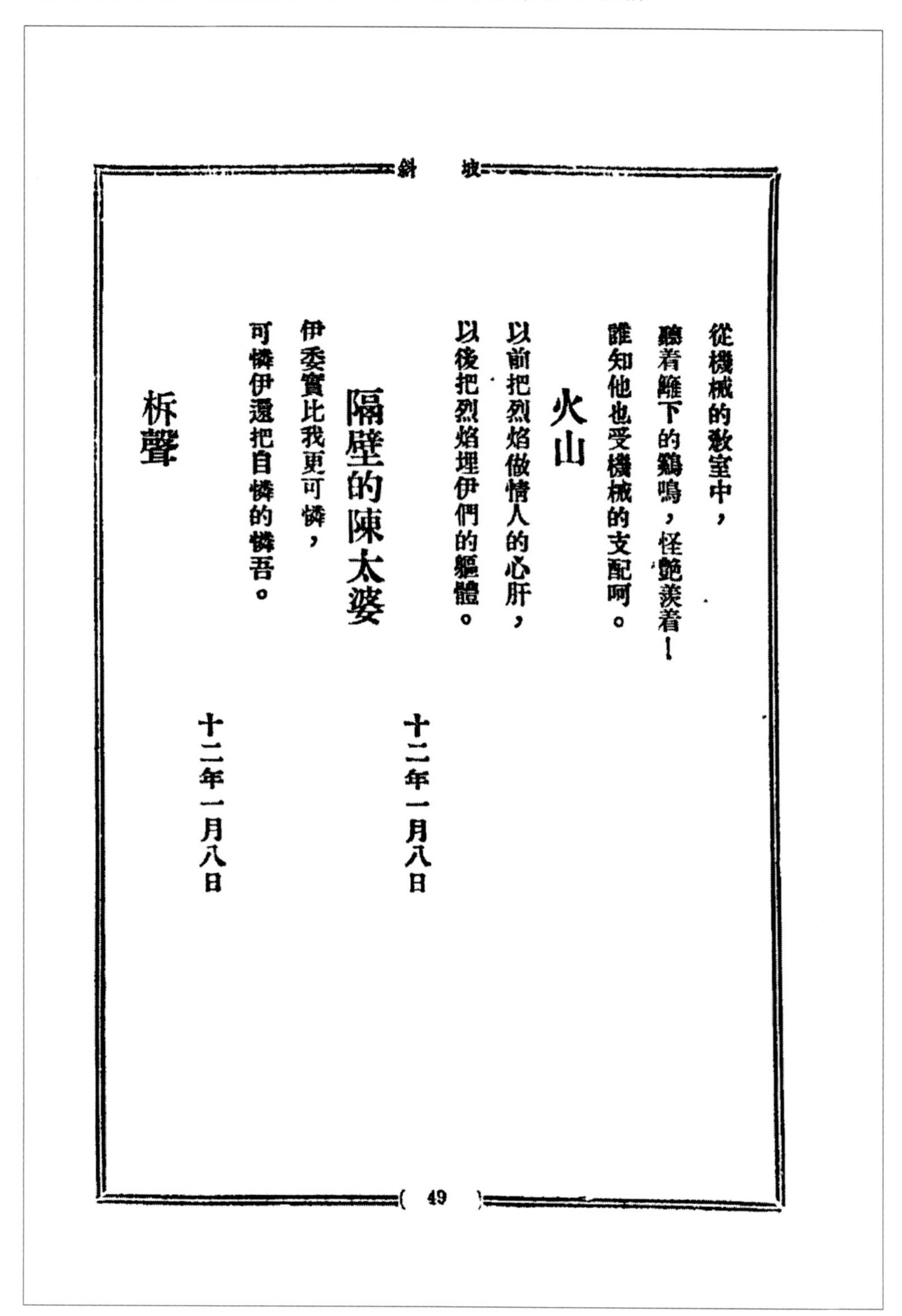

從機械的教室中，
聽着籬下的鷄鳴，怪艷羨着！
誰知他也受機械的支配呵。

火山

以前把烈焰做情人的心肝，
以後把烈焰埋伊們的軀體。

十二年一月八日

隔壁的陳太婆

伊委實比我更可憐，
可憐伊還把自憐的憐語。

十二年一月八日

柝聲

子夜的柝聲，
多麼悲哀！
原來是白髮駝腰的老更夫擊的。

十二年一月八晚

做道場

大吹大擂，
總震不醒南柯裏的人吧。
祗哀思的聞此而益哀思了。

十二年一月八晚

溺者

厭世的蟲兒跳入水裏，
不會意的還在杳嗟太息！

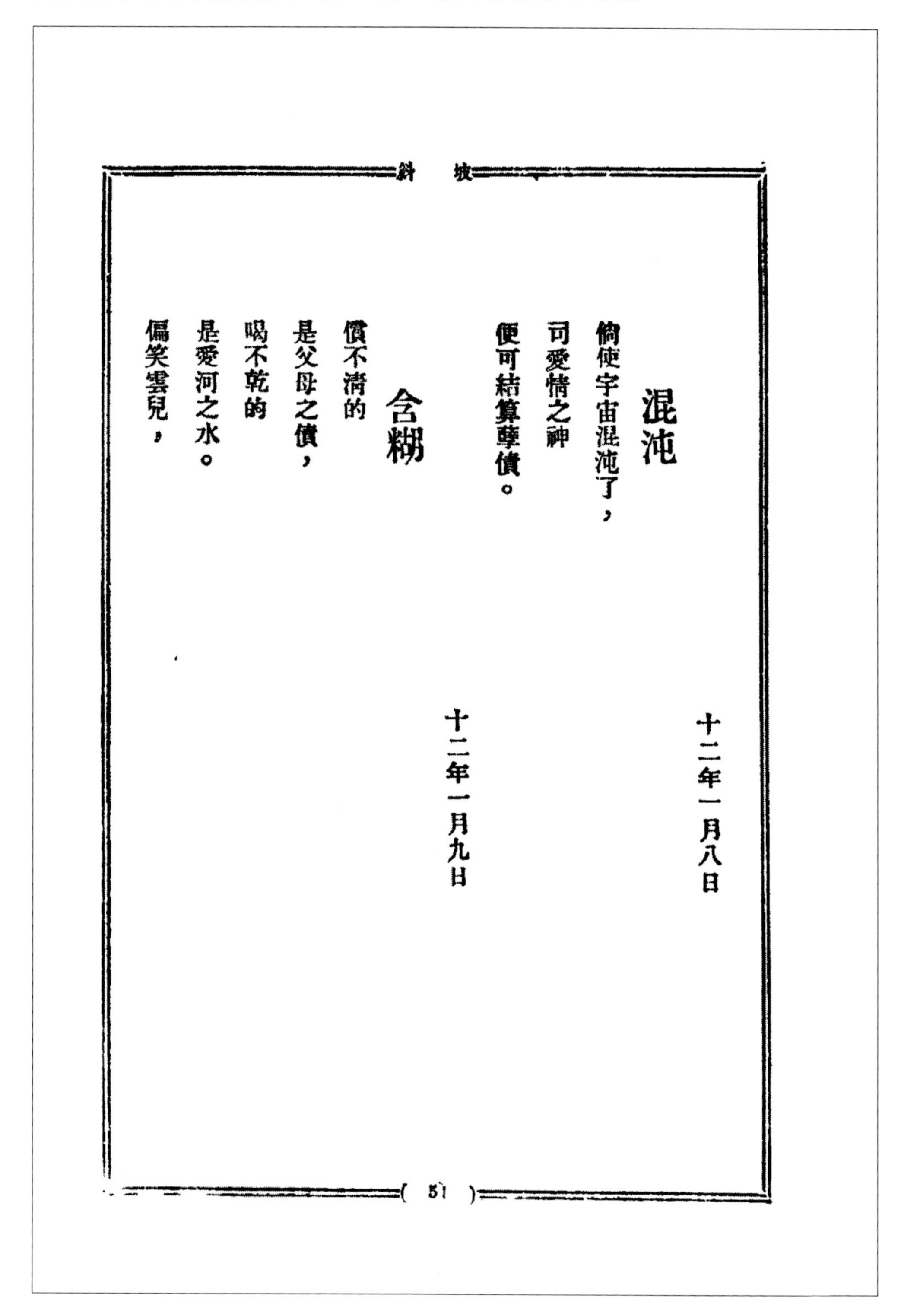

混沌

倘使宇宙混沌了，
司愛情之神
便可結算孽債。

十二年一月八日

含糊

償不清的
是父母之債，
喝不乾的
是愛河之水。
偏笑雲兒，

十二年一月九日

一峯換過一峯的，
要數盡山頭。

十二年一月九晚

回想

回想小孩時代
便是小孩了！
從此再想下去，
就嗒然若喪！

十二年一月九日

夢

夢如果永遠不會忘記，
摺疊起來，

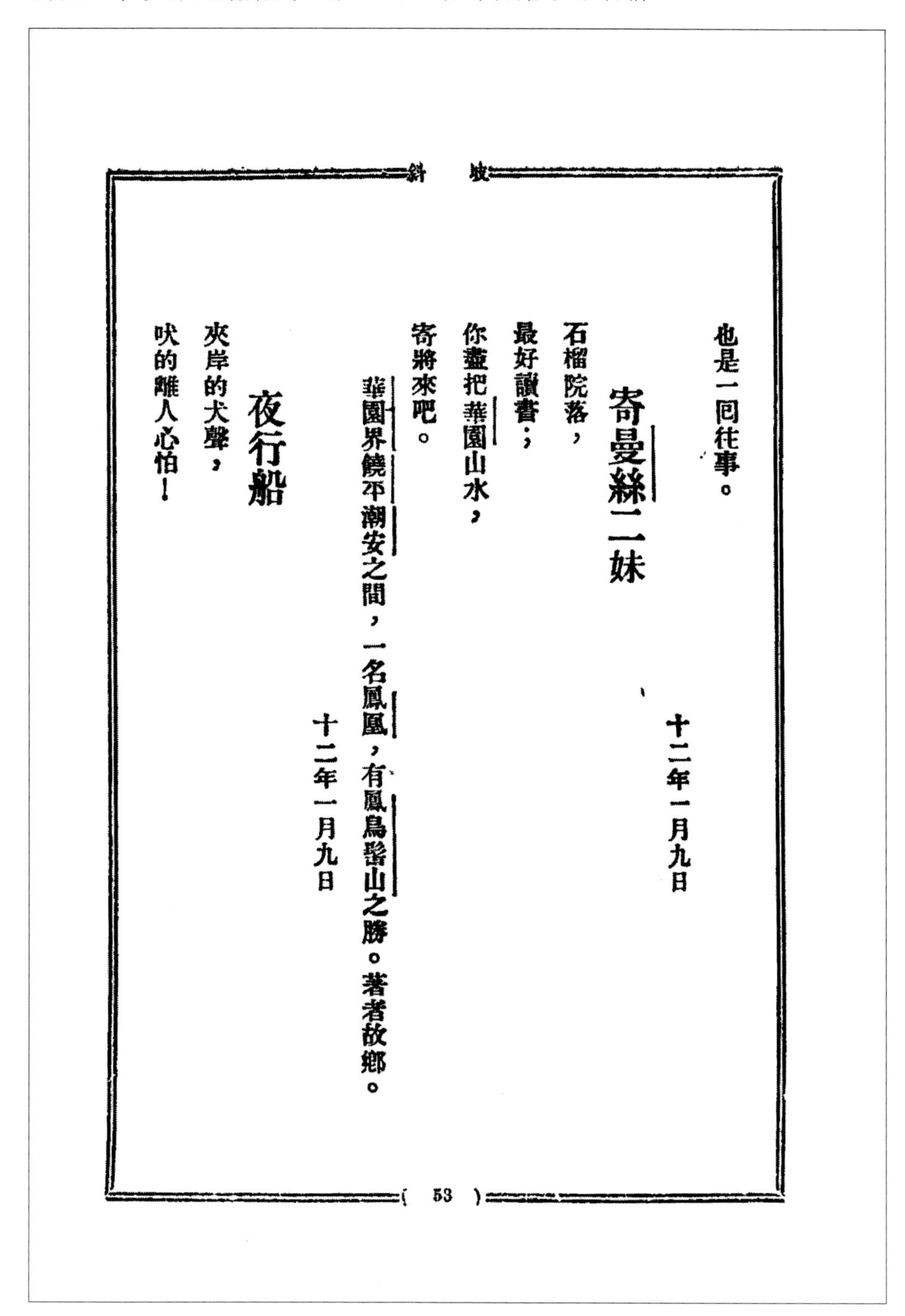

也是一回往事。

十二年一月九日

寄曼絲二妹

石榴院落，
最好讀書；
你盡把華園山水，
寄將來吧。

十二年一月九日

華園界饒平潮安之間，一名鳳凰，有鳳鳥髻山之勝。著者故鄉。

夜行船

夾岸的犬聲，
吠的離人心怕！

槳兒搖不進也；
無奈半明的新月，
催人夜行船去。

十二年一月十日

登山

登盡高峯，
遙望不見人間罪惡之源，
煙雲凌亂的，
無非衆生之擾擾呵！

十二年一月十一日

偶感

看見人們的幸福，

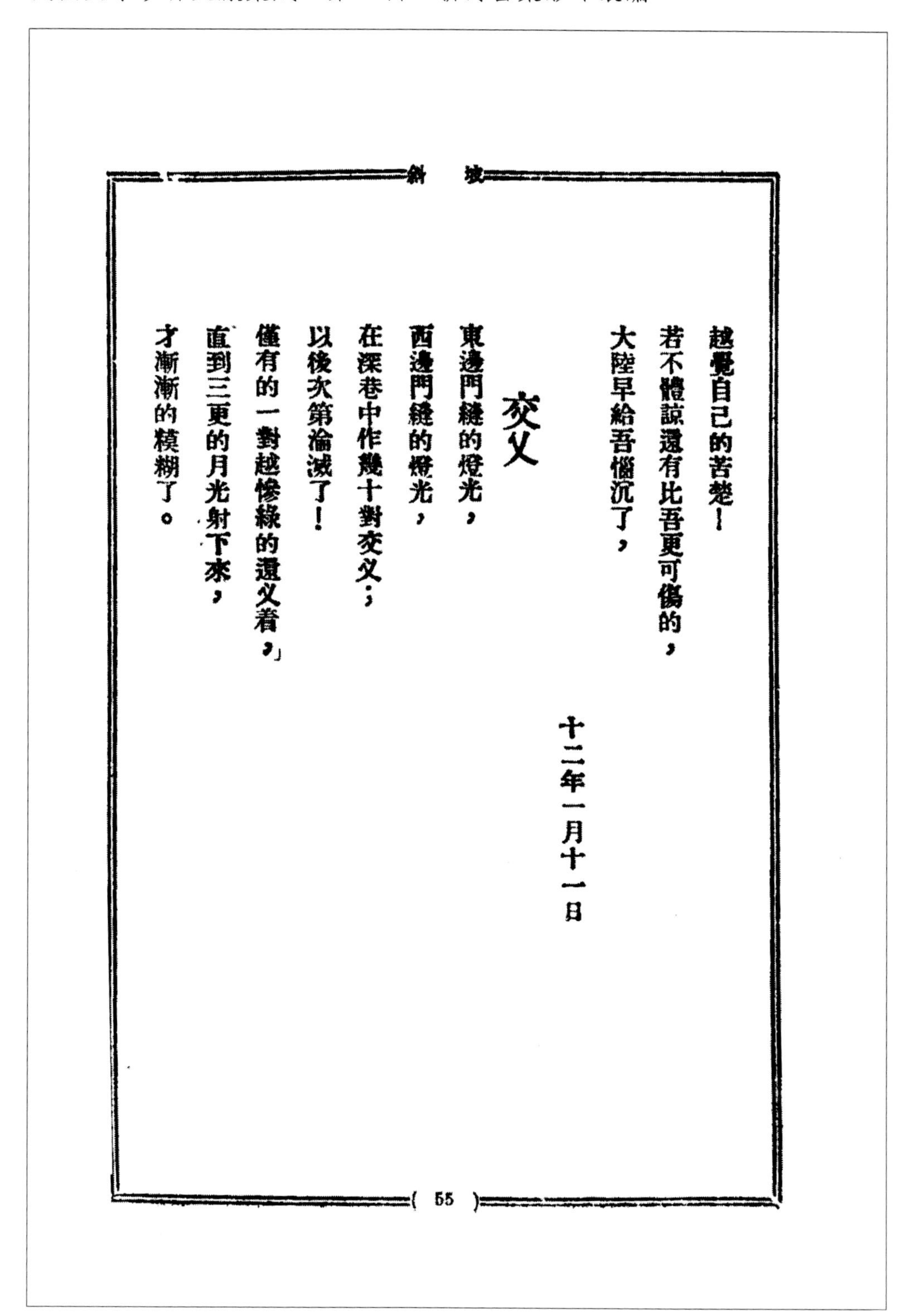

越覺自己的苦楚！

若不體諒還有比吾更可傷的，

大陸早給吾惱沉了，

十二年一月十一日

交义

東邊門縫的燈光，

西邊門縫的燈光，

在深巷中作幾十對交义；

以後次第淪滅了！

僅有的一對越慘綠的還义着，」

直到三更的月光射下來，

才漸漸的模糊了。

司春之女神

司春之女神，
一手拿着把扇，
一手托着座爐，
慢，慢，慢，
把春風煽動！
絢爛的火花，
畢畢，拍拍地都跳出來！

十二年一月十一日

枯骨

枯骨脫了坟墓的羈絆，

十二年一月十一日

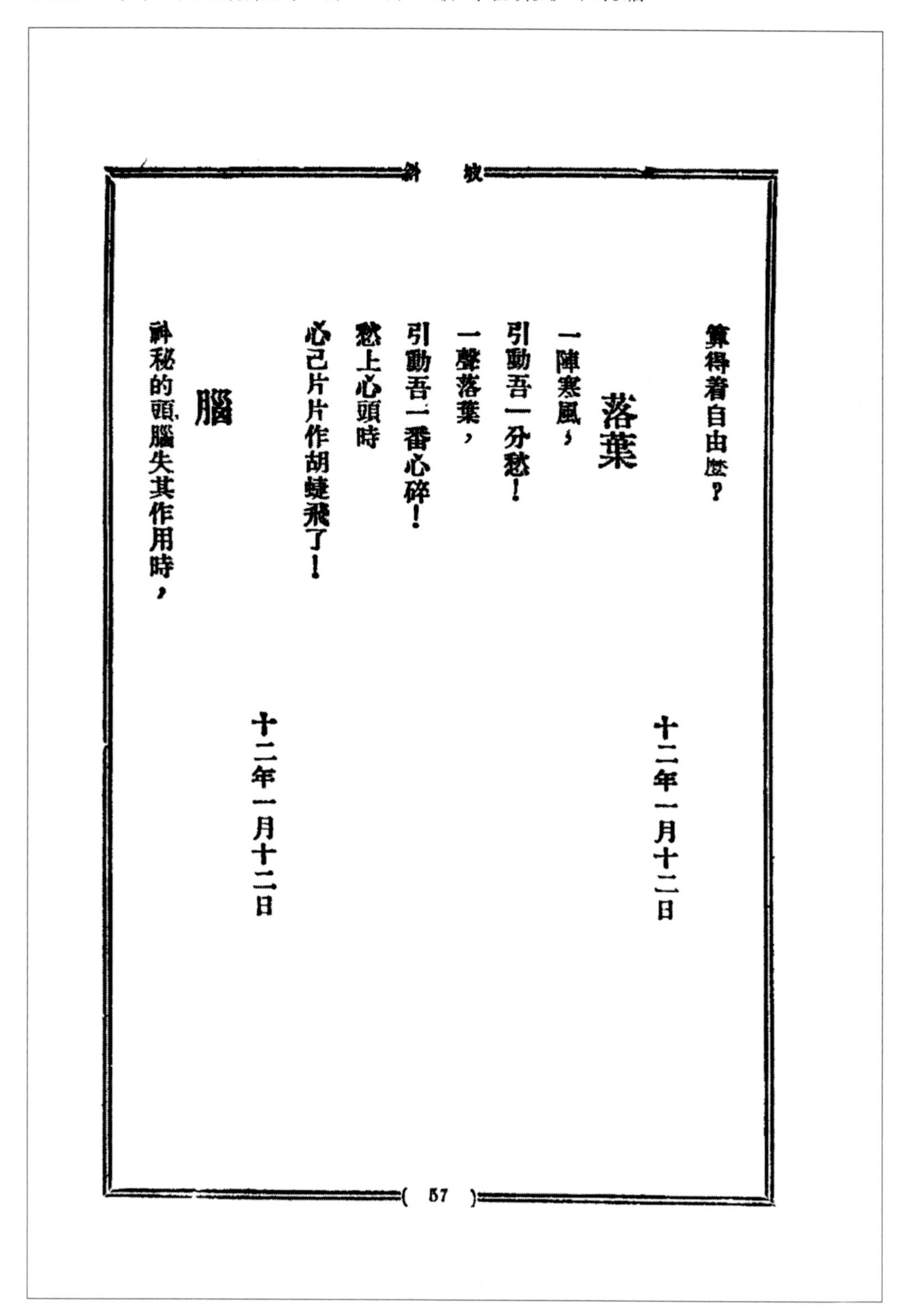

算得着自由麼？

十二年一月十二日

落葉

一陣寒風，
引動吾一分愁！
一聲落葉，
引動吾一番心碎！
愁上心頭時
心已片片作胡蝶飛了！

十二年一月十二日

腦

神秘的頭腦失其作用時，

大概是情急了。

十二年一月十二日

細雨

儘管有意沒意。
只是慢慢地篩！
就如少女在篩香糧粉
篩滿了芋葉，
又篩滿了荷葉；
倒是池塘不長進，
篩了半天，
——依舊。

糧，稻名，吾鄉特產。米色如玉，以三五十粒入米數升蒸之，芬芳

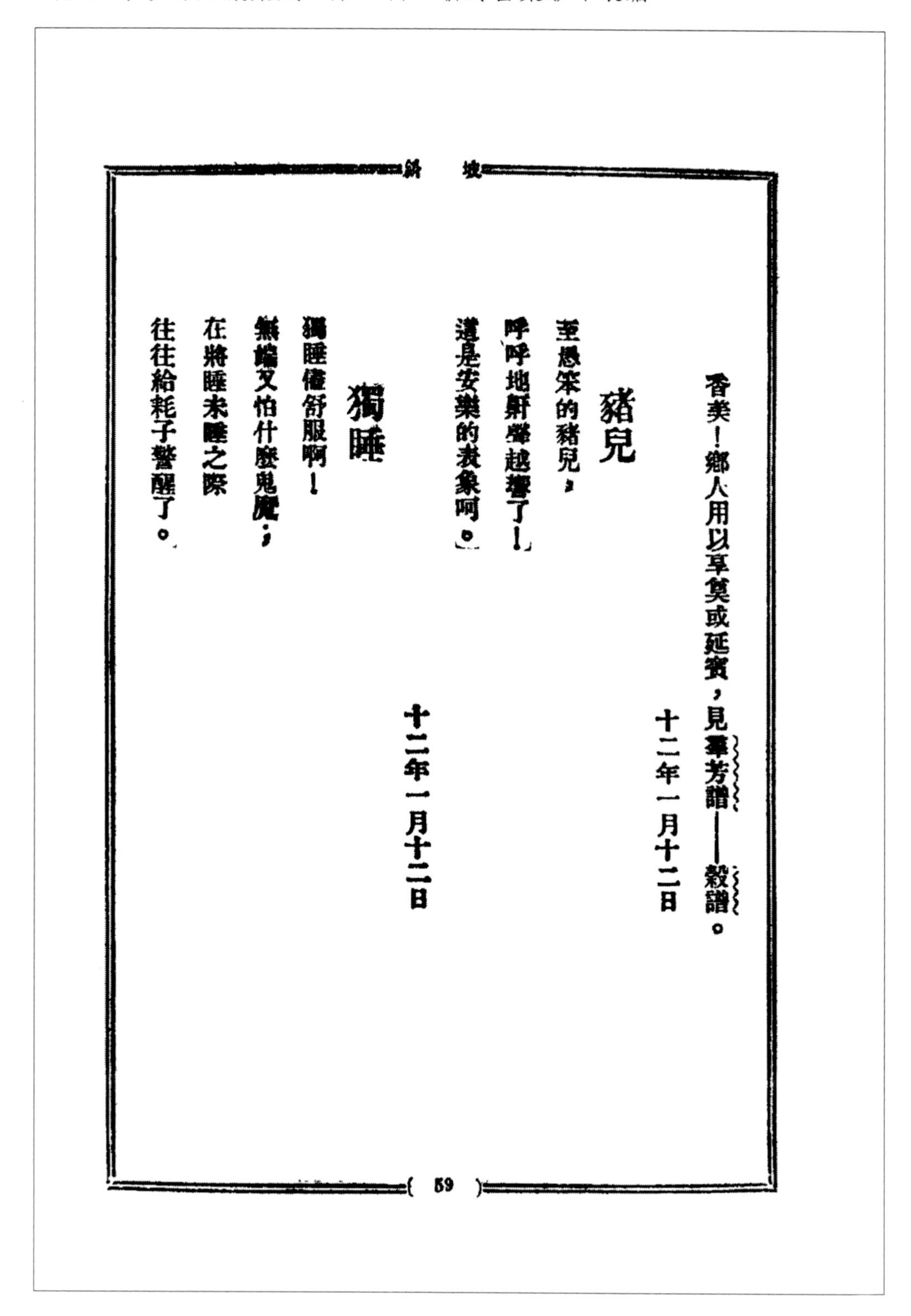

香美！鄉人用以享奠或延賓，見羣芳譜——穀譜。

十二年一月十二日

豬兒

至愚笨的豬兒，
呼呼地鼾聲越響了！
這是安樂的表象呵。

十二年一月十二日

獨睡

獨睡儘舒服啊！
無端又怕什麼鬼魔；
在將睡未睡之際
往往給耗子驚醒了。

金錢

什麼交情都給你担誤了。

十二年一月十二日

醉人

爛醉也罷，
誰叫你唱起歌來！
醉人的歌聲，
要寶比孩子唱的還要歡！

十二年一月十二日

汲水

清楚楚地影兒，

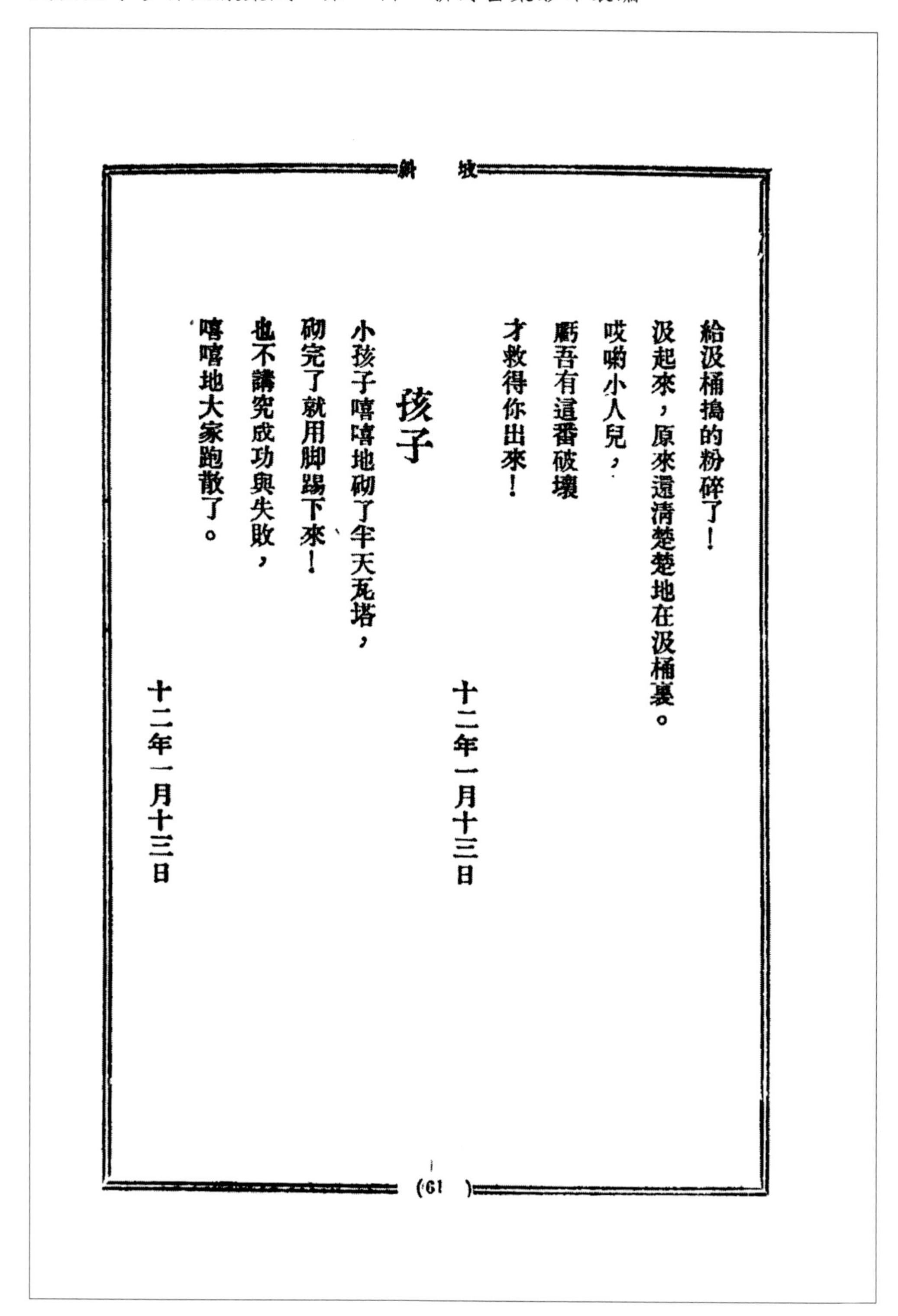

給汲桶搗的粉碎了！
汲起來，原來還清楚楚地在汲桶裏。
哎喲小人兒，
虧吾有這番破壞
才救得你出來！

十二年一月十三日

孩子

小孩子嘻嘻地砌了半天瓦堵，
砌完了就用脚踢下來！
也不講究成功與失敗，
嘻嘻地大家跑散了。

十二年一月十三日

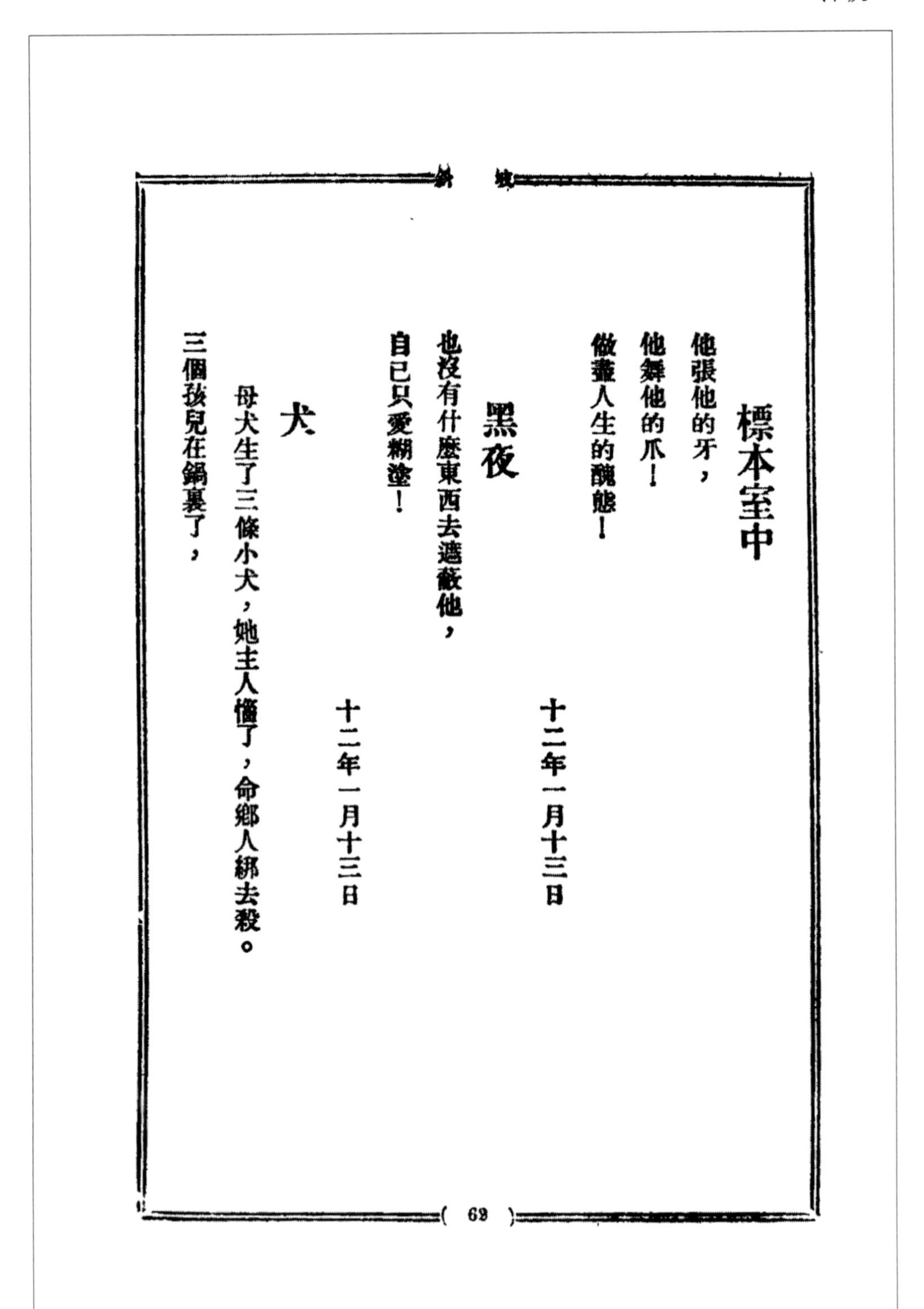

標本室中

他張他的牙，
他舞他的爪！
做盡人生的醜態！

十二年一月十三日

黑夜

也沒有什麼東西去遮蔽他，
自已只愛糊塗！

十二年一月十三日

犬

母犬生了三條小犬，她主人惱了，命鄉人綁去殺。
三個孩兒在鍋裏了，

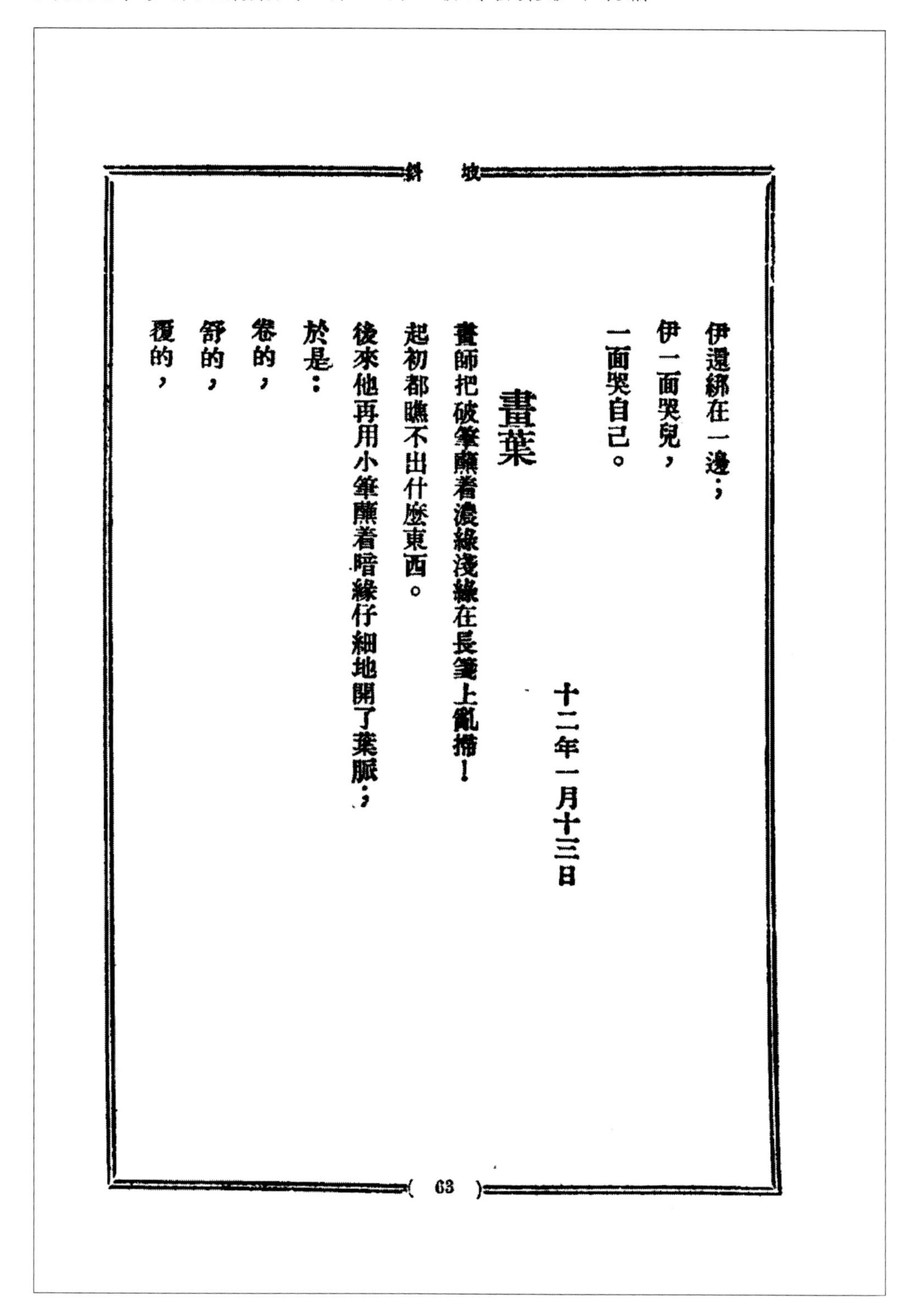

伊還絲在一邊；
伊一面哭兒，
一面哭自己。

十二年一月十三日

畫葉

畫師把破筆蘸着濃綠淺綠在長箋上亂揮！
起初都瞧不出什麽東西。
後來他再用小筆蘸着暗綠仔細地開了葉脈；
於是：
卷的，
舒的，
覆的，

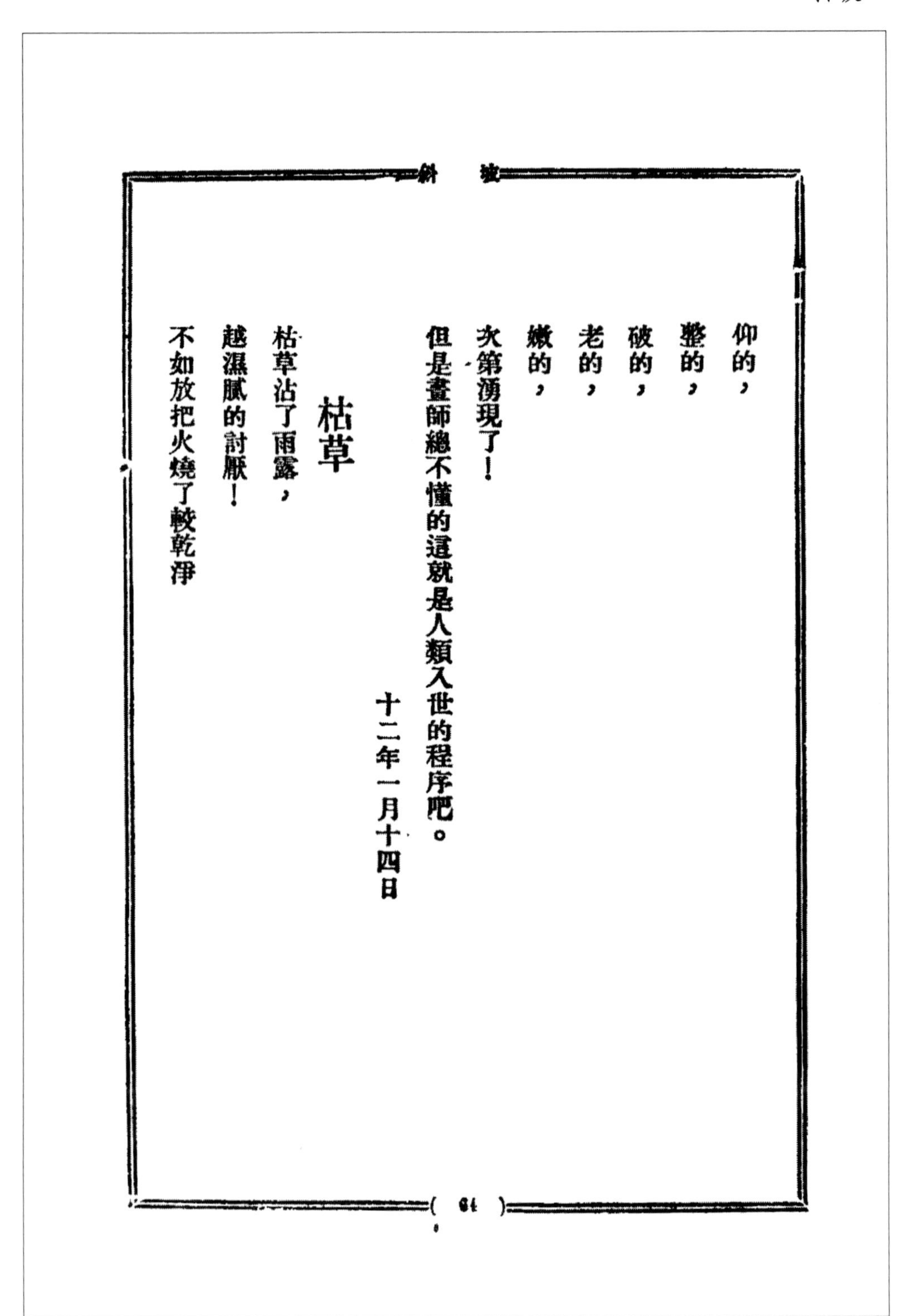

仰的，
整的，
破的，
老的，
嫩的，
次第湧現了！
但是畫師總不懂的這就是人類入世的程序吧。

十二年一月十四日

枯草

枯草沾了雨露，
越濕膩的討厭！
不如放把火燒了較乾淨

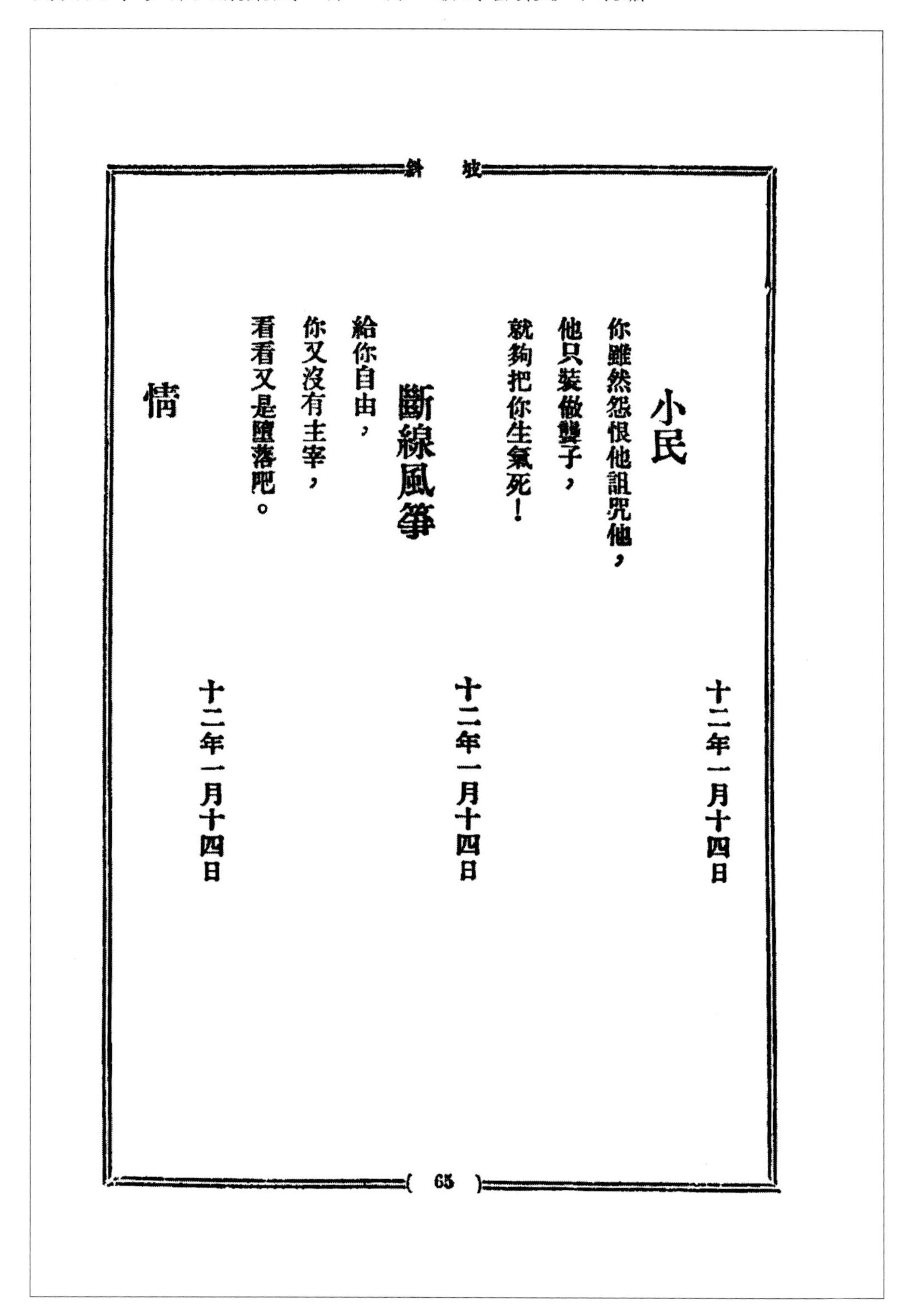

小民

你雖然怨恨他詛咒他，
他只裝做聾子，
就夠把你生氣死！

十二年一月十四日

斷線風箏

給你自由，
你又沒有主宰，
看看又是墮落罷。

十二年一月十四日

情

用情倘夠像用簾一般，
要用就放下來，
不用就卷上去。
那末，吾也做情人去。

十二年一月十四日

墓頭的芭蕉——龍王宮頭所見

骨頭漸漸腐化，
芭蕉漸漸肥大；
植蕉者的本意，
或者要當墓中人看。

十二年一月十四日

蜃景

斜陽穿進了胭脂逕，
謖謖的松風，
繚亂了喜鵲的清調；
松外的青草地，
很可瞧見年邁的祖母倚門盼望……

十二年一月十四日

夜歌

爹媽在會話，
小孩子坐在枕頭上唱夜歌，
爹媽不去管他，
他也不去理會爹媽。

十二年一月十四日

旅舍

進了旅舍，
大家都是一家了。
出了旅舍，
依舊不相識。

十二年一月十四日

月

月若是長圓，
宇宙的離人都無以自解了。

十二年一月十四日

苦瓜

苦瓜的苦，

是與生俱來的，
人們也不過如此如此吧。

十二年一月十四日

傀儡

他不知人生的苦惱，
只刻意學做人。

十二年一月十四日

飄泊者之歌

誰笑吾無衣，
吾將拾菱荷以爲衣；
誰笑吾無食，
吾在東家食，西家食；

誰笑吾無屋，
吾在張家宿，李家宿；
人生只怕行樂遲，
安能勞勞碌碌事口腹。

十二年一月十四日

沒字的詩歌

破青布衫的乞丐，
口裏喃，喃，喃，
念什麽？
念天然的詩歌。
——沒字的詩歌。

十二年一月十五日

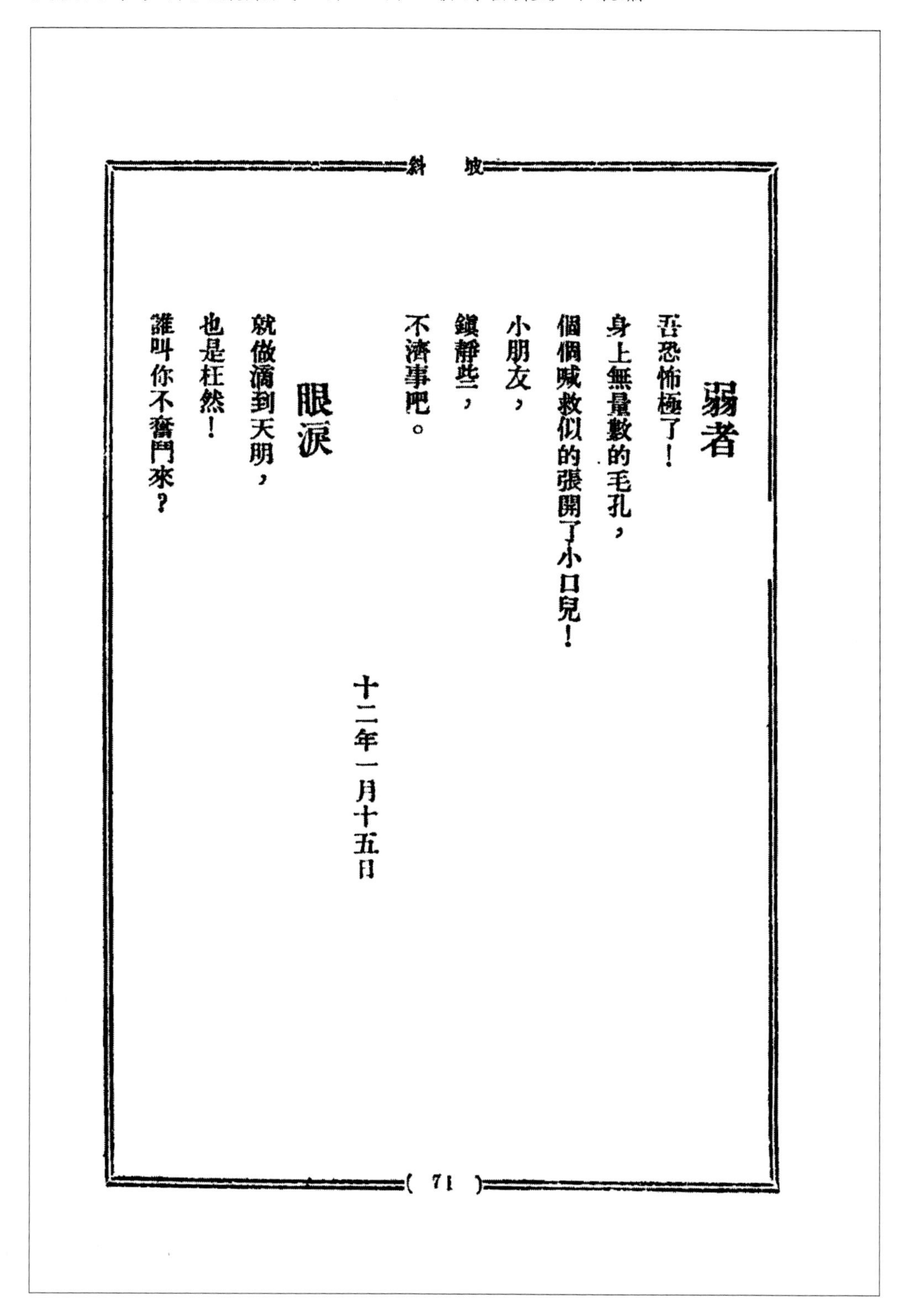

弱者

吾恐怖極了！
身上無量數的毛孔，
個個賊救似的張開了小口兒！
小朋友，
鎮靜些𠀋，
不濟事吧。

十二年一月十五日

眼淚

就做滴到天明，
也是枉然！
誰叫你不齎門來？

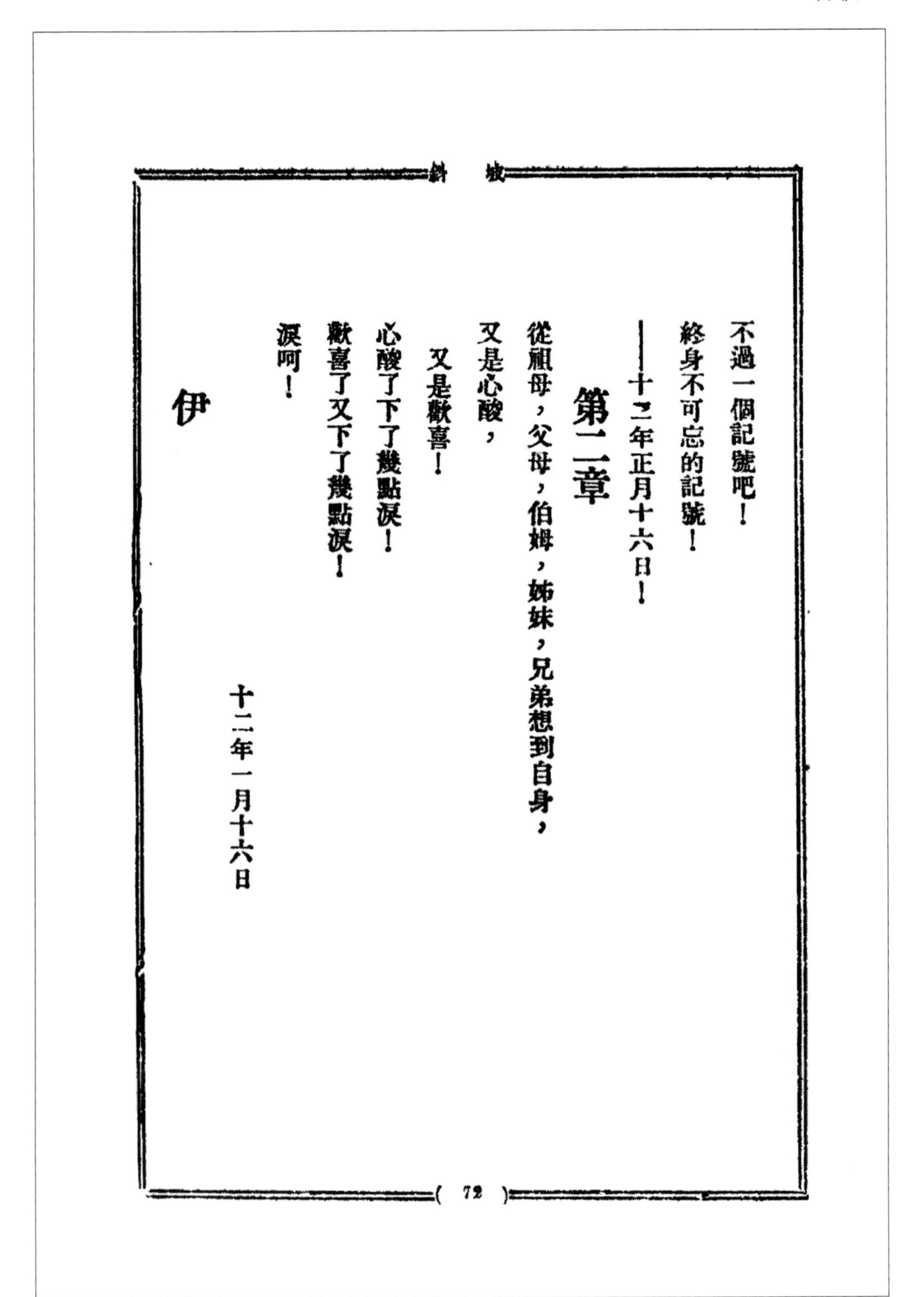

不過一個記號吧！

終身不可忘的記號！

——十二年正月十六日！

第二章

從祖母，父母，伯姆，姊妹，兄弟想到自身，

又是心酸，

　又是歡喜！

心酸了下了幾點淚！

歡喜了又下了幾點淚！

淚呵！

伊

十二年一月十六日

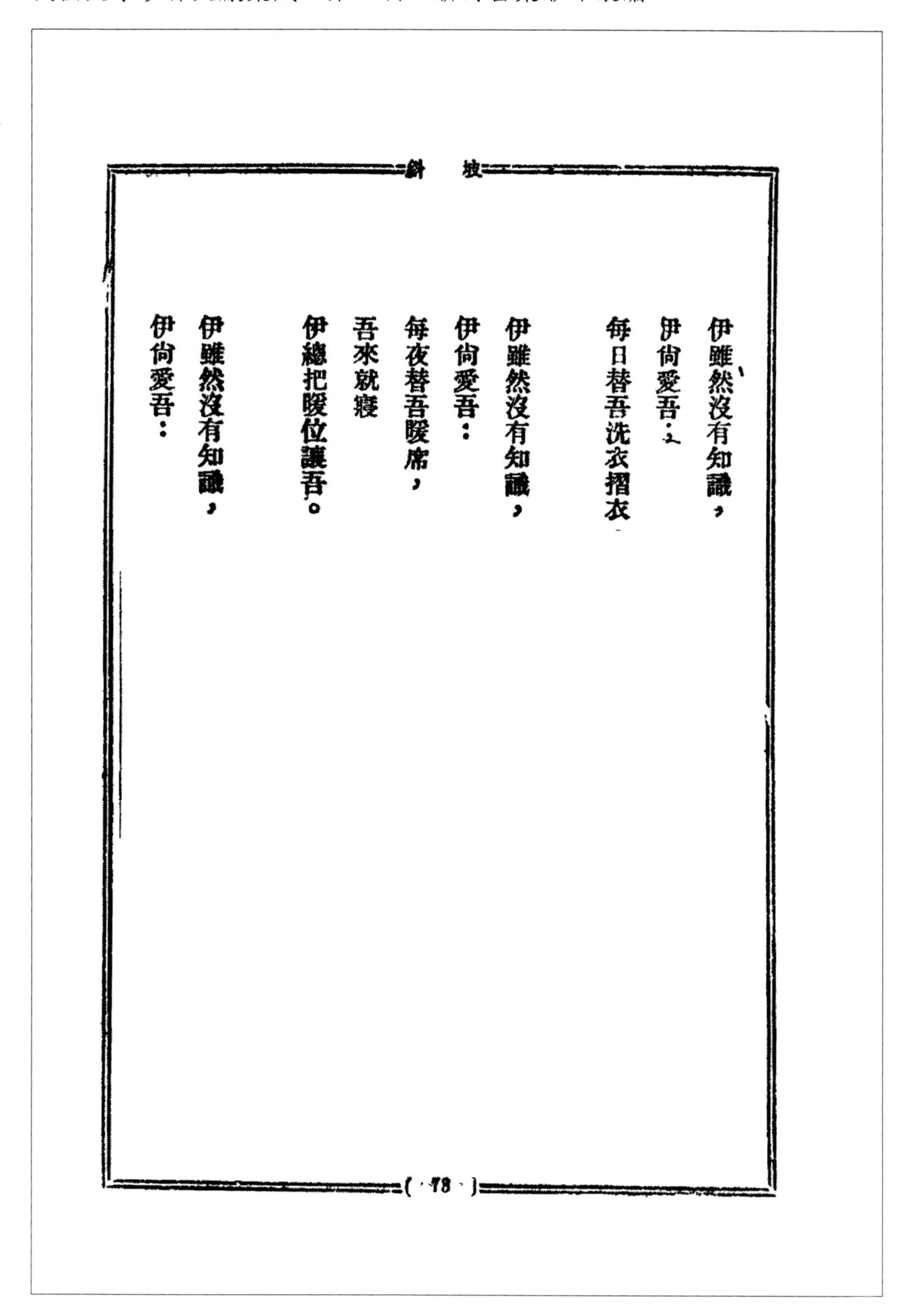

伊雖然沒有知識，
伊尚愛吾：
每日替吾洗衣摺衣

伊雖然沒有知識，
伊尚愛吾：
每夜替吾暖席，
吾來就寢
伊總把暖位讓吾。

伊雖然沒有知識，
伊尚愛吾：

每早起替吾端飯，
——沒有人的清早。
伊雖然不要吃，
但是心裏愉快！

伊雖然沒有知識，
伊倘敬爹媽：
有時媽生了氣，
伊史低頭承過。

伊雖然沒有知識，
伊倘禮親戚：

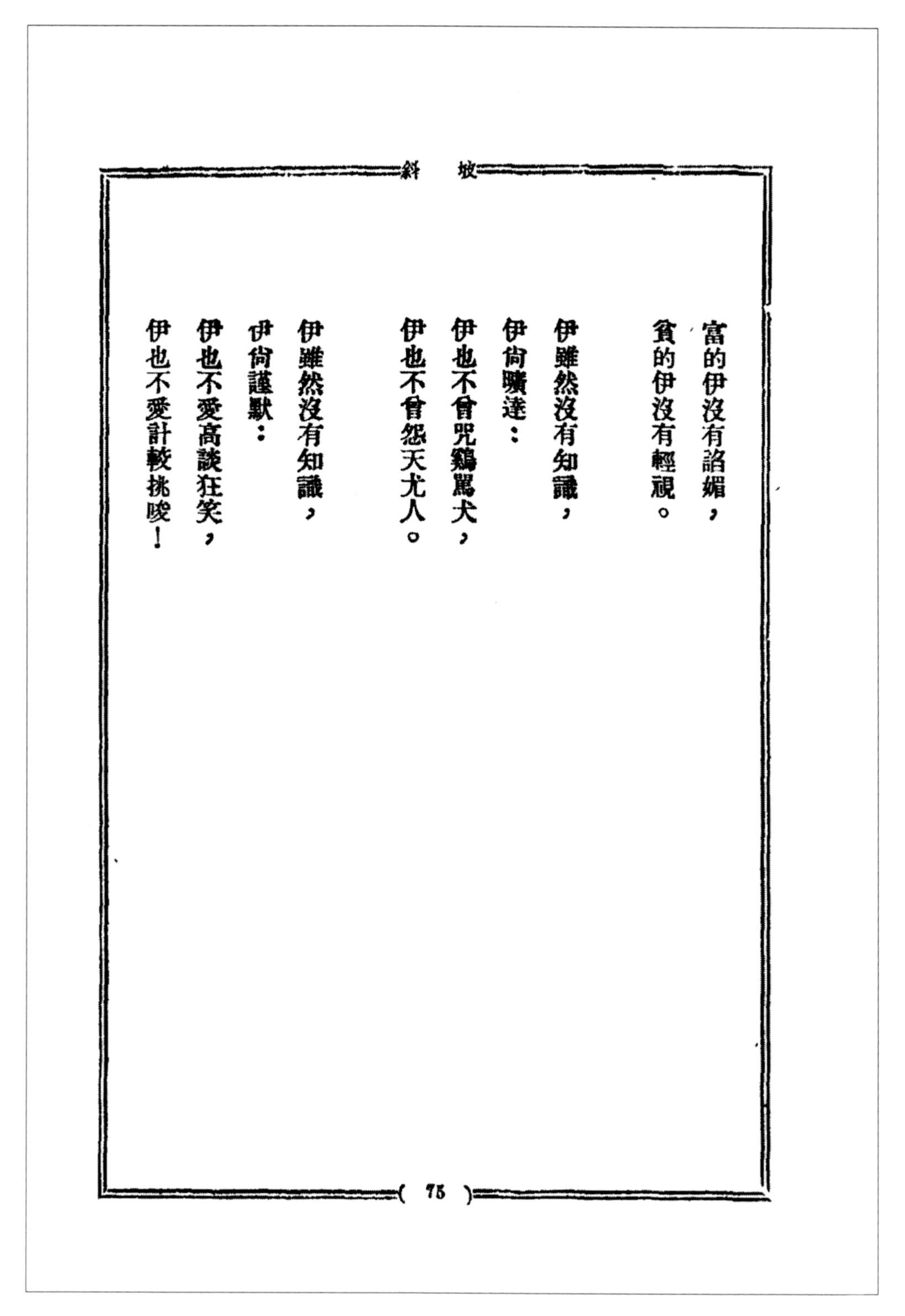

富的伊沒有諂媚，
貧的伊沒有輕視。
伊雖然沒有知識，
伊尙曠達：
伊也不會咒雞罵犬，
伊也不會怨天尤人。
伊雖然沒有知識，
伊尙謹默：
伊也不愛高談狂笑，
伊也不愛計較挑唆！

伊雖然沒有知識，
伊倘溫存：
吾有時罵伊，
從不肯回嘴。
——伊也始終不曾講吾一句歹話。
——伊也始終不曾對吾講一句歹話。
伊雖然沒有知識，
伊倘閒雅，
雖然沒有傾國與傾城，
也不會令人一睹生厭！

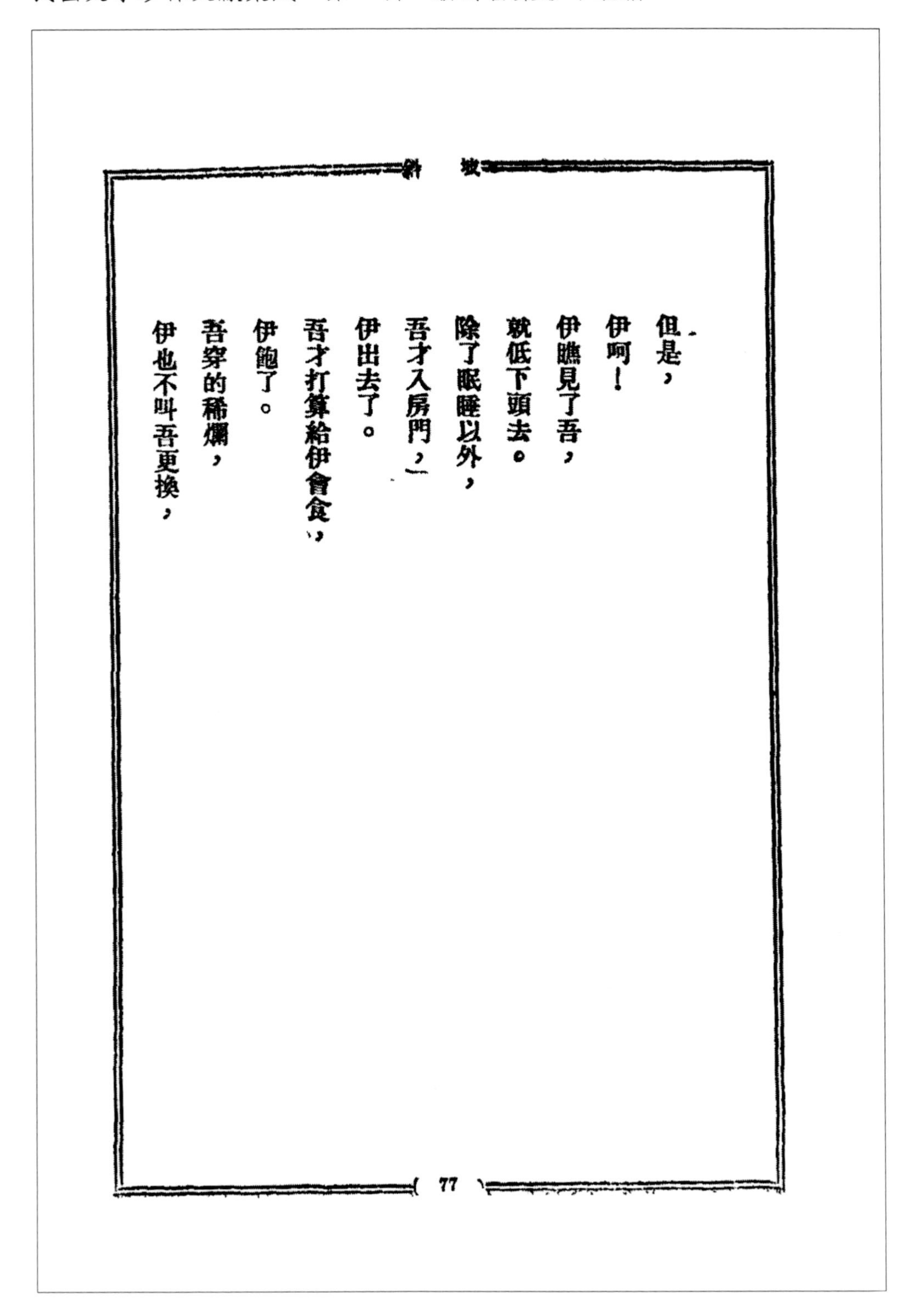

但是，
伊呵！
伊瞧見了吾，
就低下頭去。
除了眠睡以外，
吾才入房門，
伊出去了。
吾才打算給伊會食，
伊飽了。
吾穿的稀爛，
伊也不叫吾更換，

吾穿的華麗，
伊也不讚吾美。
壁上新撮的小影，
伊在壁脚坐，站，
也不假些兒留意。
吾哄伊講話：
吾說「是」，
伊應「是」。
吾說一句，
伊應一句，
吾默着，
伊就睡了呵。

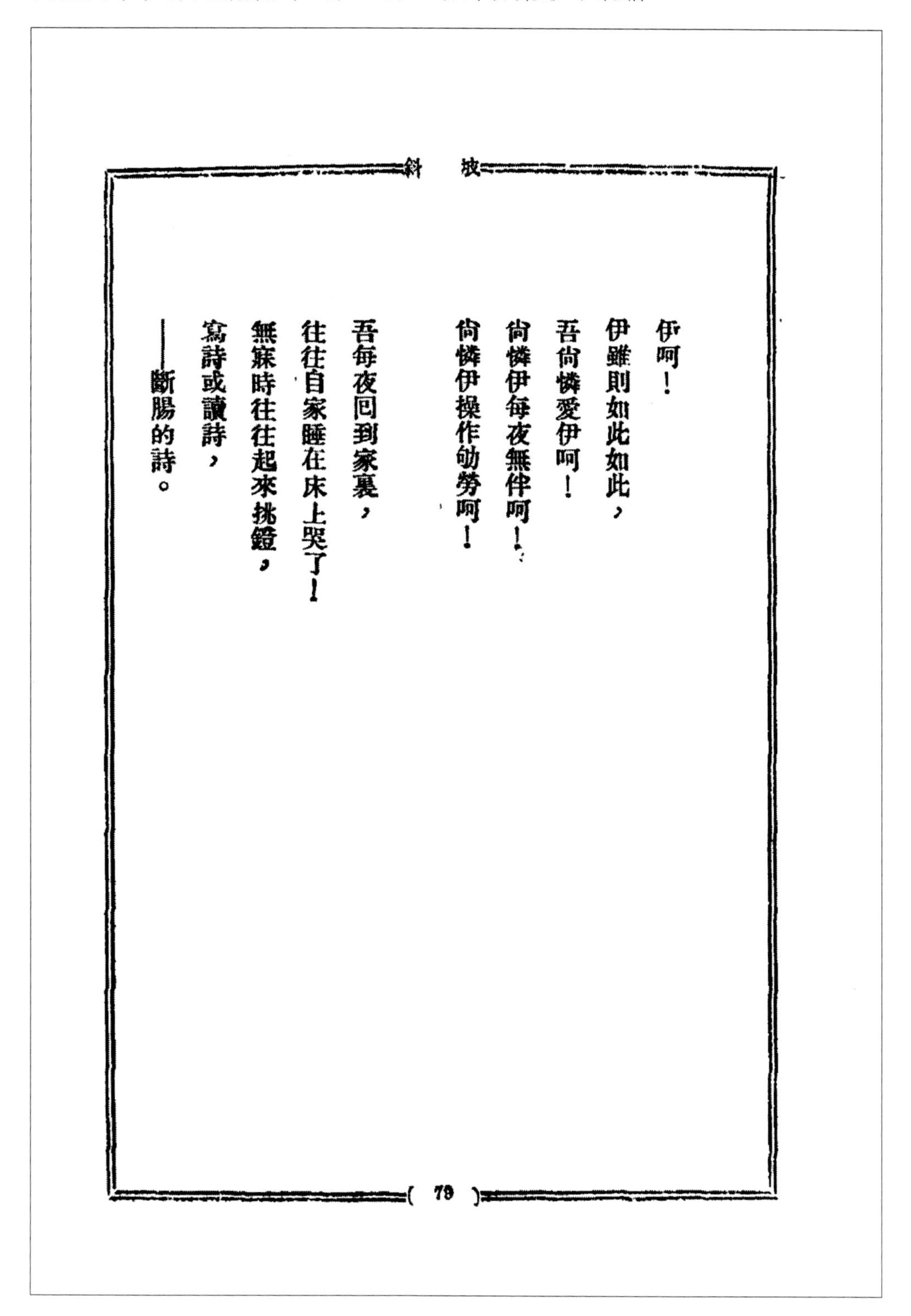

伊呵！
伊雖則如此如此，
吾尙憐愛伊呵！
尙憐伊每夜無伴呵！
尙憐伊操作劬勞呵！

吾每夜回到家裏，
往往自家睡在床上哭了！
無寐時往往起來挑鐙，
寫詩或讀詩，
——斷腸的詩。

但是：
吾絕對不敢埋怨伊，
或許因此越加倍的憐愛伊。
但是：
吾也不敢怨父母，怨媒妁，怨天，怨自己，
吾怨只怨，
人們都是佳偶呵！

「附記」著者蒐集W君S.君N.君照言而成此篇，非本人事實。

十二年一月十六日

無題

「狹路寃家」，
都着相碰！

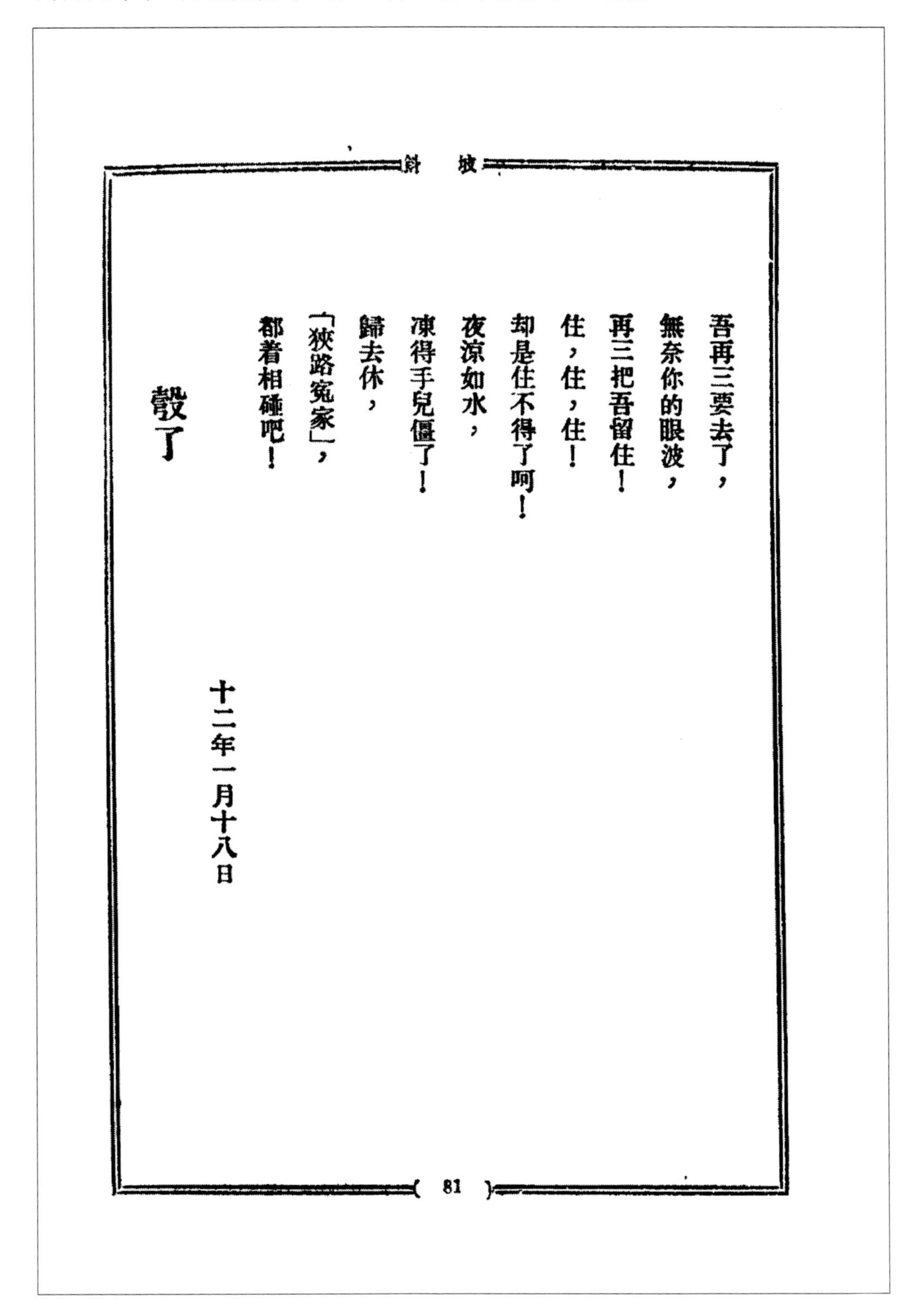

吾再三要去了，
無奈你的眼波，
再三把吾留住！
住，住，住！
却是住不得了呵！
夜涼如水，
凍得手兒僵了！
歸去休，
「狹路寃家」，
都着相碰吧！

彀了

十二年一月十八日

謝謝你有些兒愛吾，
好好，就彀！別多！
太多吾要狐疑！
——也許世人要狐疑！

十二年一月十八日

谷音

愛吾也罷，
憎吾也罷；
你就不該遮遮掩掩！
遮掩也罷，
誰叫你答應？
橫順只愛玩弄人麼？

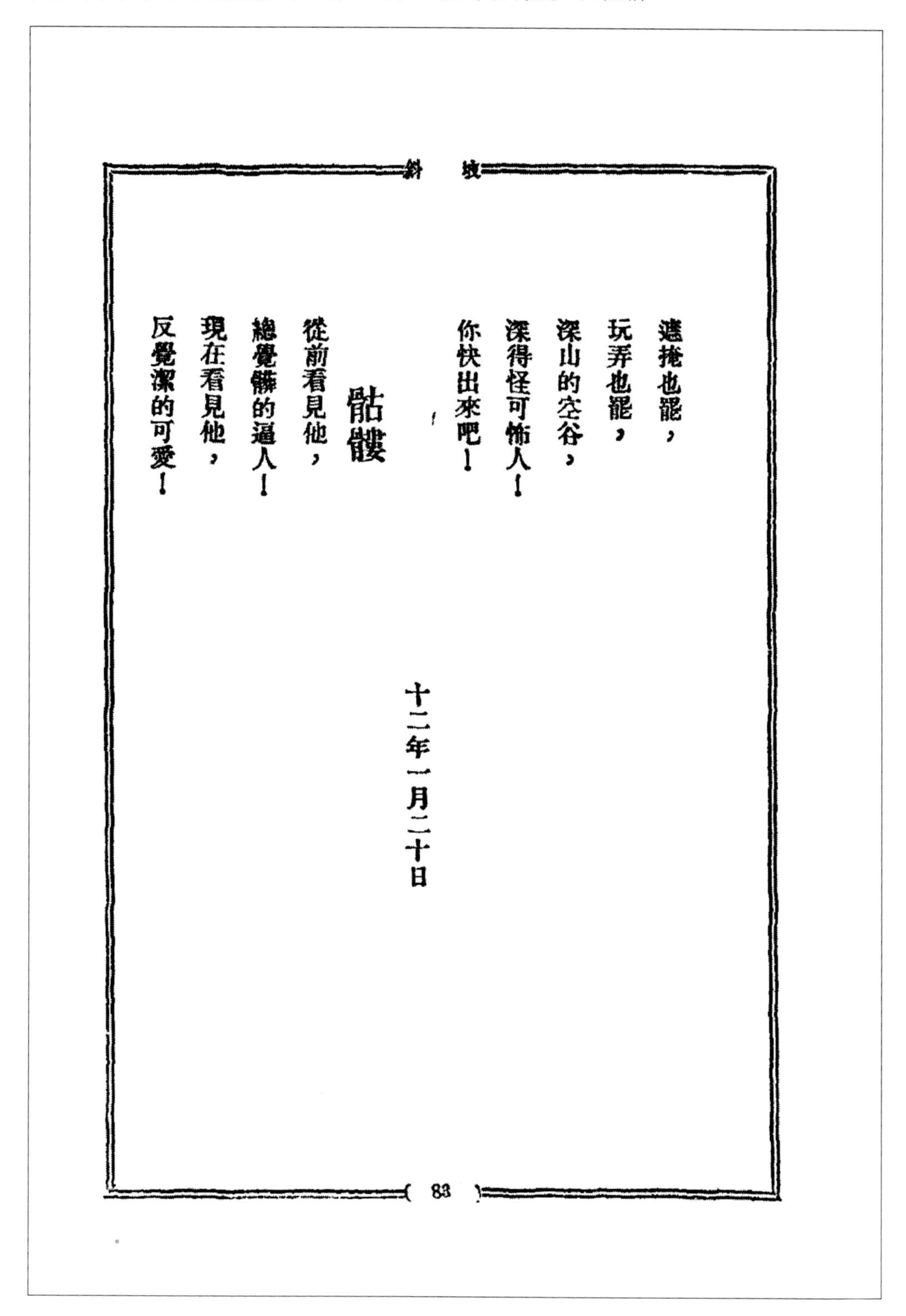

遮掩也罷，
玩弄也罷，
深山的空谷，
深得怪可怖人！
你快出來吧！

骷髏

從前看見他，
總覺髒的逼人！
現在看見他，
反覺潔的可愛！

十二年一月二十日

也不懂爲什麽吧！

十二年一月二十日

隔溪的相思草

你不能來，
吾不能去，
相隔只半溪清流吧！

吾倆是白雲兒，
就一日來往十二時呵！
苦晝短時，
還有夜呵！

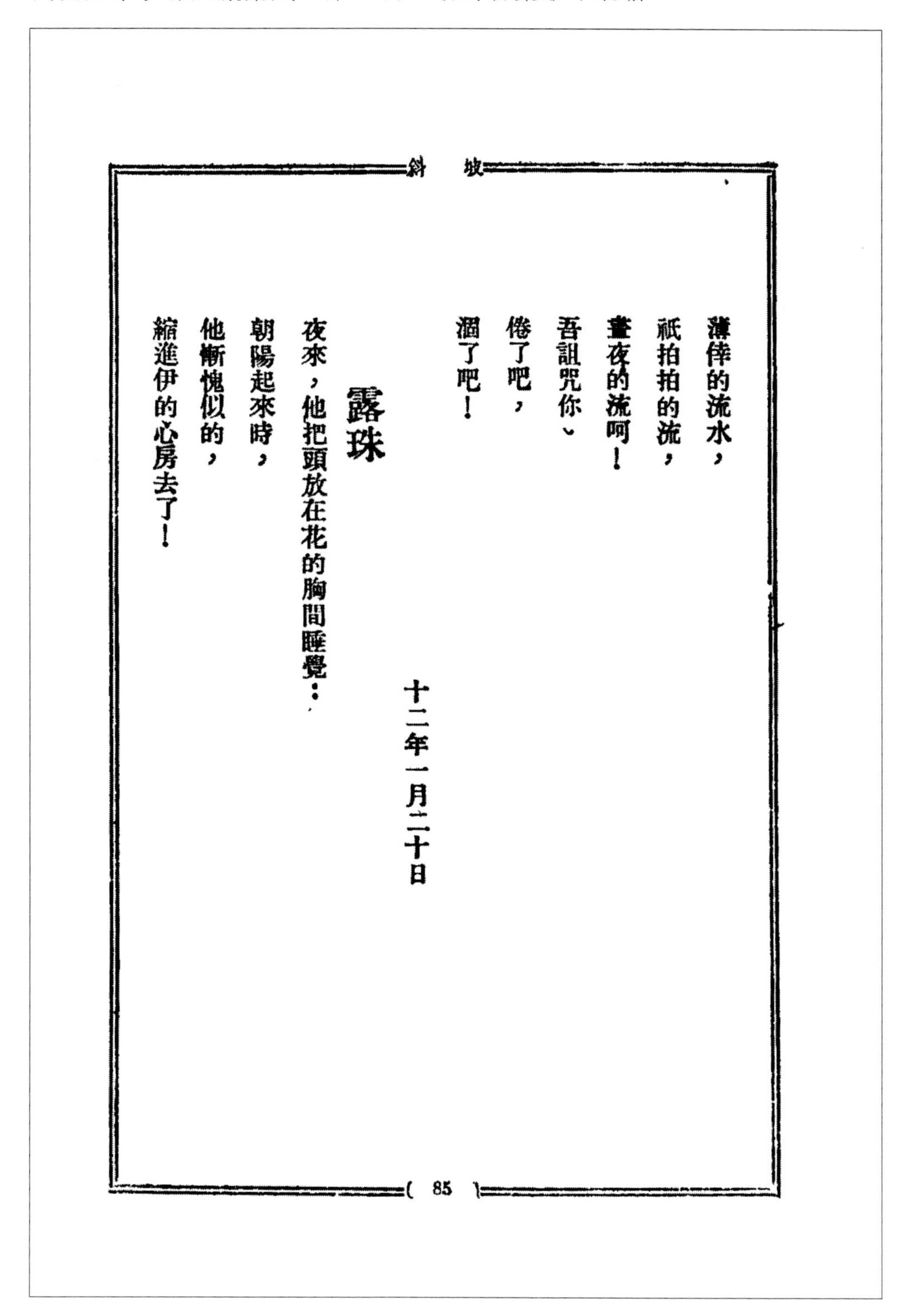

薄倖的流水，
祇拍拍的流，
晝夜的流呵！
吾詛咒你、
倦了吧，
涸了吧！

十二年一月二十日

露珠

夜來，他把頭放在花的胸間睡覺……
朝陽起來時，
他慚愧似的，
縮進伊的心房去了！

初醒

草蟲唱着尖細的夜歌，
把幽人的歸夢鑽破！
這時，往事都帶一副憂疑的臉孔，
一一在跟前走過；
可笑閒才凝想的吾，
也跟在背後，躲，躲！

十二年一月廿三日

月夜過叢塚

橫順臥在路邊的叢塚，
管他男的，女的，郵的，俏的，
幾塊白骨頭，

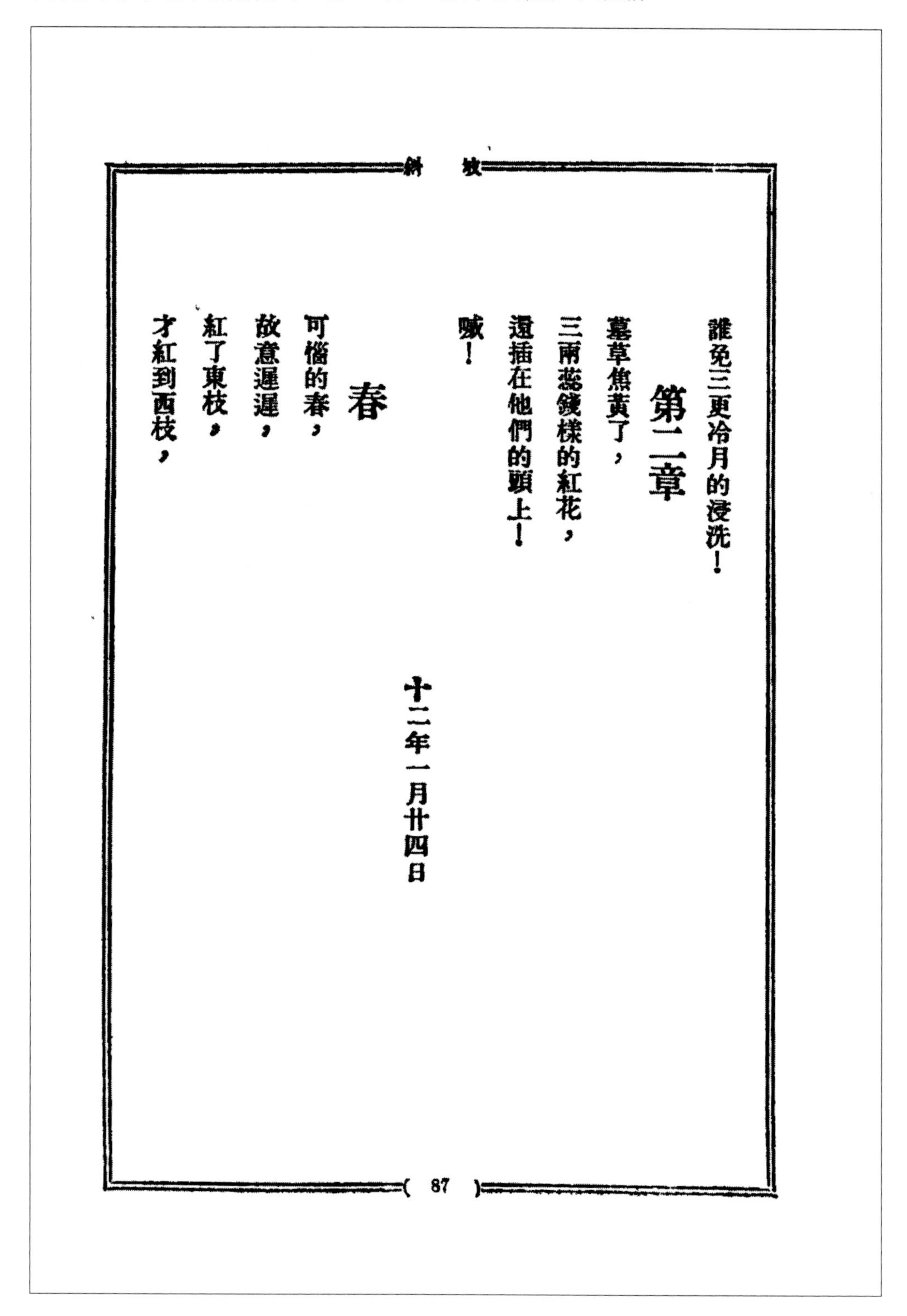

誰免三更冷月的浸洗！

第二章

墓草焦黃了，
三兩蕊錢樣的紅花，
還插在他們的顛上！
�κ！

十二年一月廿四日

春

可惱的春，
故意遲遲，
紅了東枝，
才紅到西枝，

紅到北枝；
早凋了南枝。

十二年一月廿六日

觀潮

情潮之淼淼！
雙雙的海燕銜散了。

十二年一月廿七日

送濟敬南歸

吾把個「安」字付你帶去，
一半送你的爸爸，
一半送你的愛人，
倘你要用，

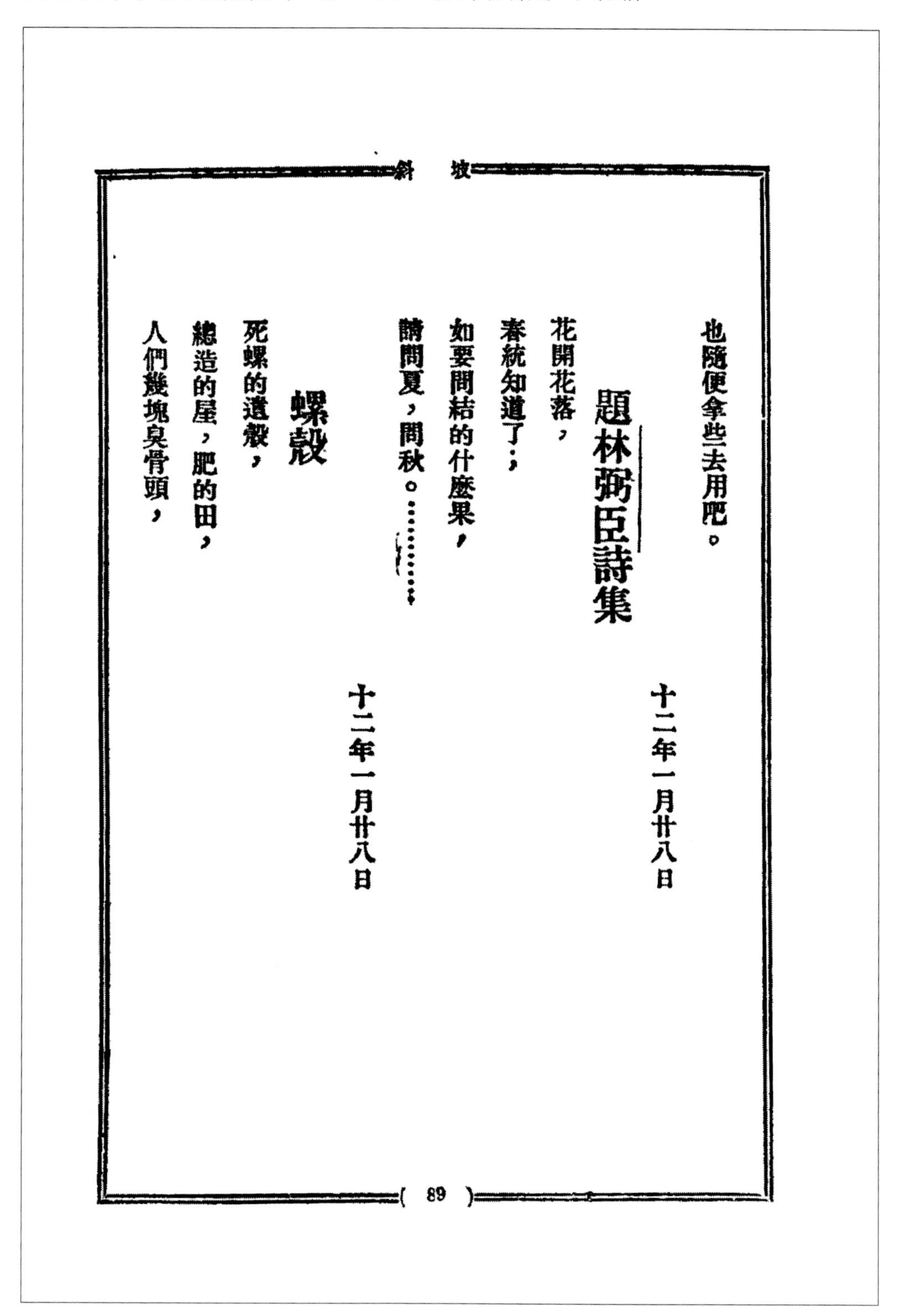

也隨便拿些去用吧。

十二年一月廿八日

題林弼臣詩集

花開花落，
春統知道了；
如要問結的什麼果，
請問夏，問秋。…………

十二年一月廿八日

螺殼

死螺的遺殼，
總造的屋，肥的田，
人們幾塊臭骨頭，

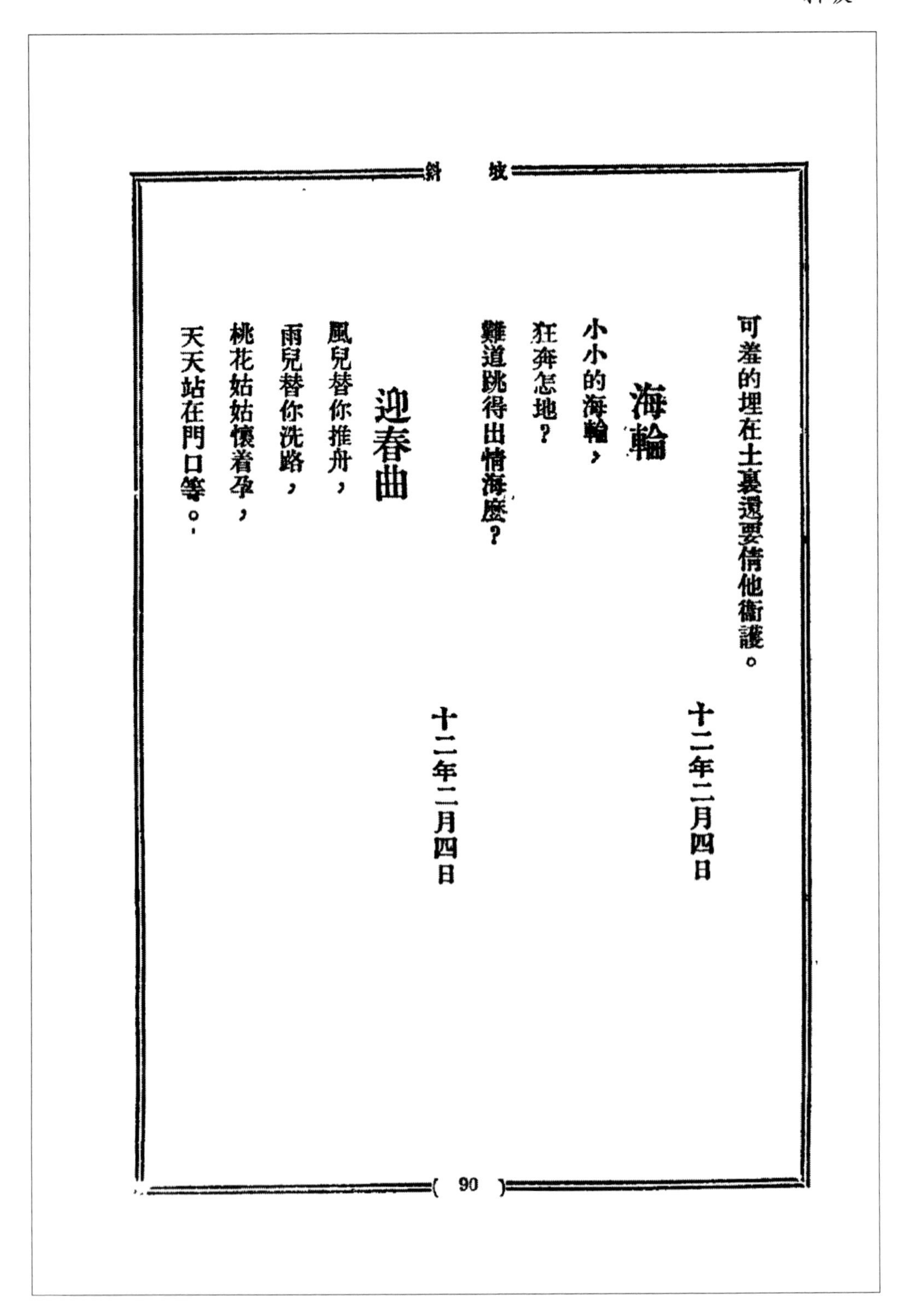

可羞的埋在土裏還要倩他衛護。

十二年二月四日

海輪

小小的海輪，
狂奔怎地？
難道跳得出情海麼？

十二年二月四日

迎春曲

風兒替你推舟，
雨兒替你洗路，
桃花姑姑懷着孕，
天天站在門口等。

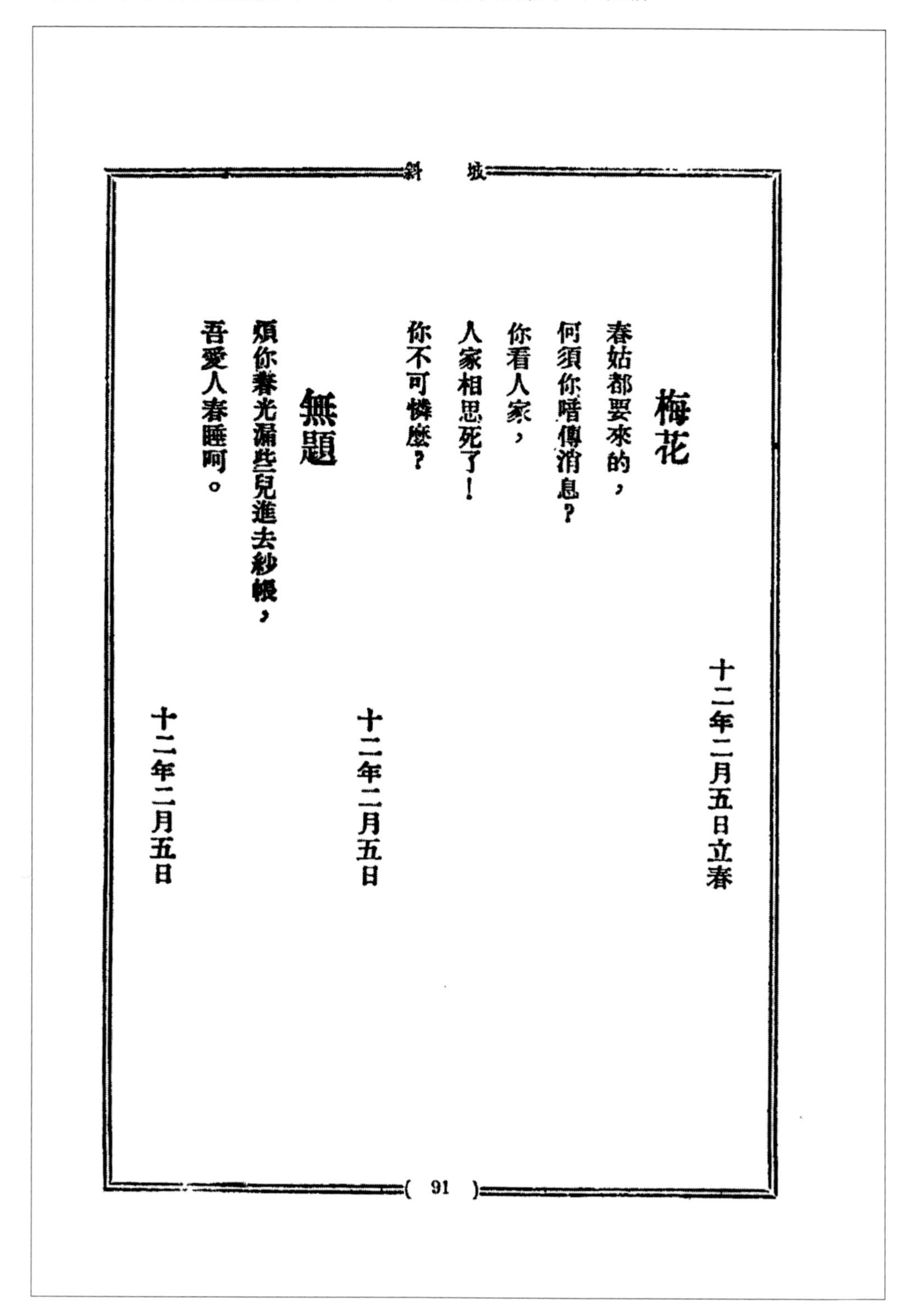

十二年二月五日立春

梅花

春姑都要來的，
何須你嗜傳消息？
你看人家，
人家相思死了！
你不可憐麼？

十二年二月五日

無題

煩你春光漏些兒進去紗帳，
吾愛人春睡呵。

十二年二月五日

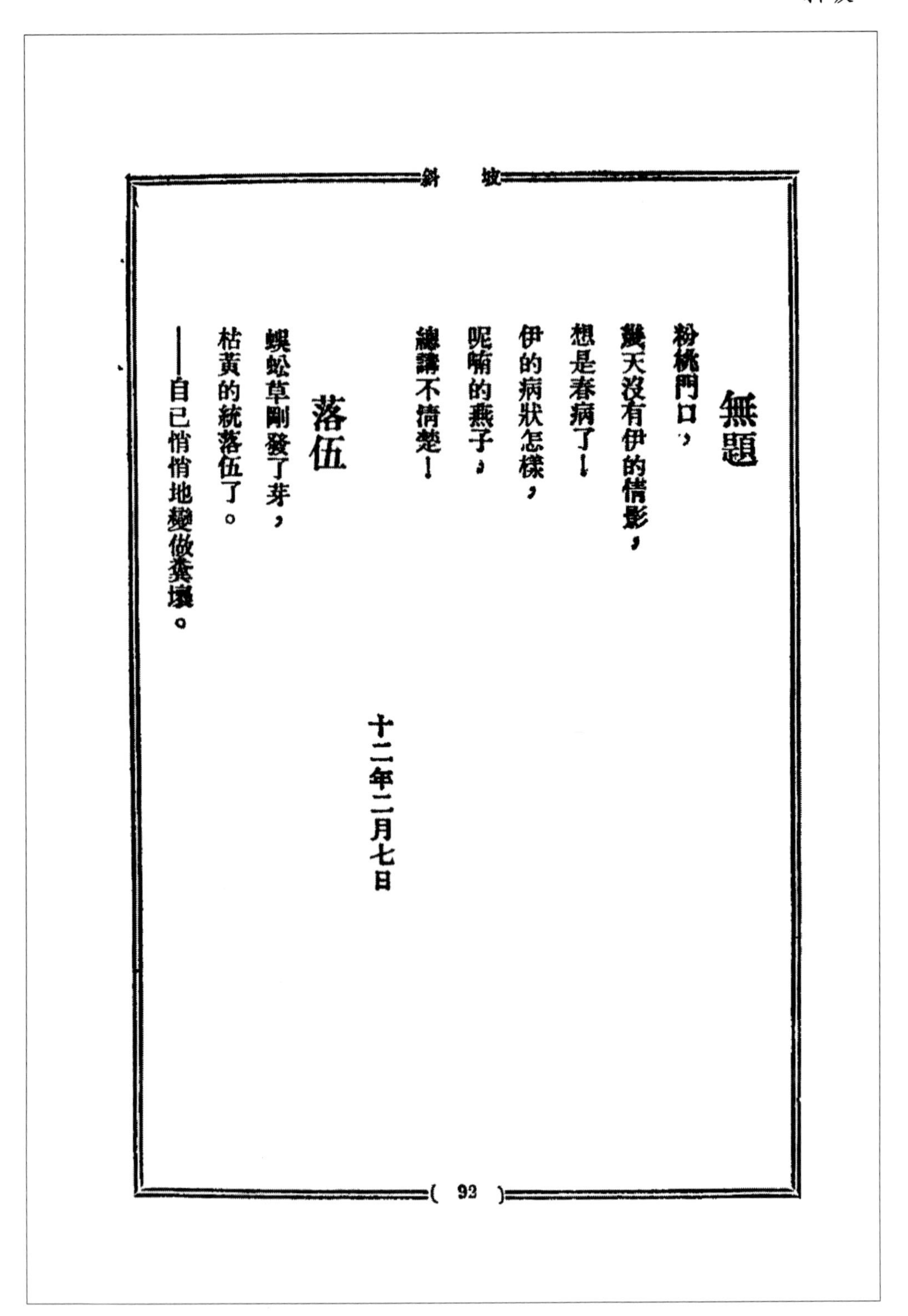

無題

粉桃門口，
幾天沒有伊的倩影，
想是春病了！
伊的病狀怎樣，
呢喃的燕子，
總講不清楚！

十二年二月七日

落伍

蜈蚣草剛發了芽，
枯黃的統落伍了。
——自已悄悄地變做糞壤。

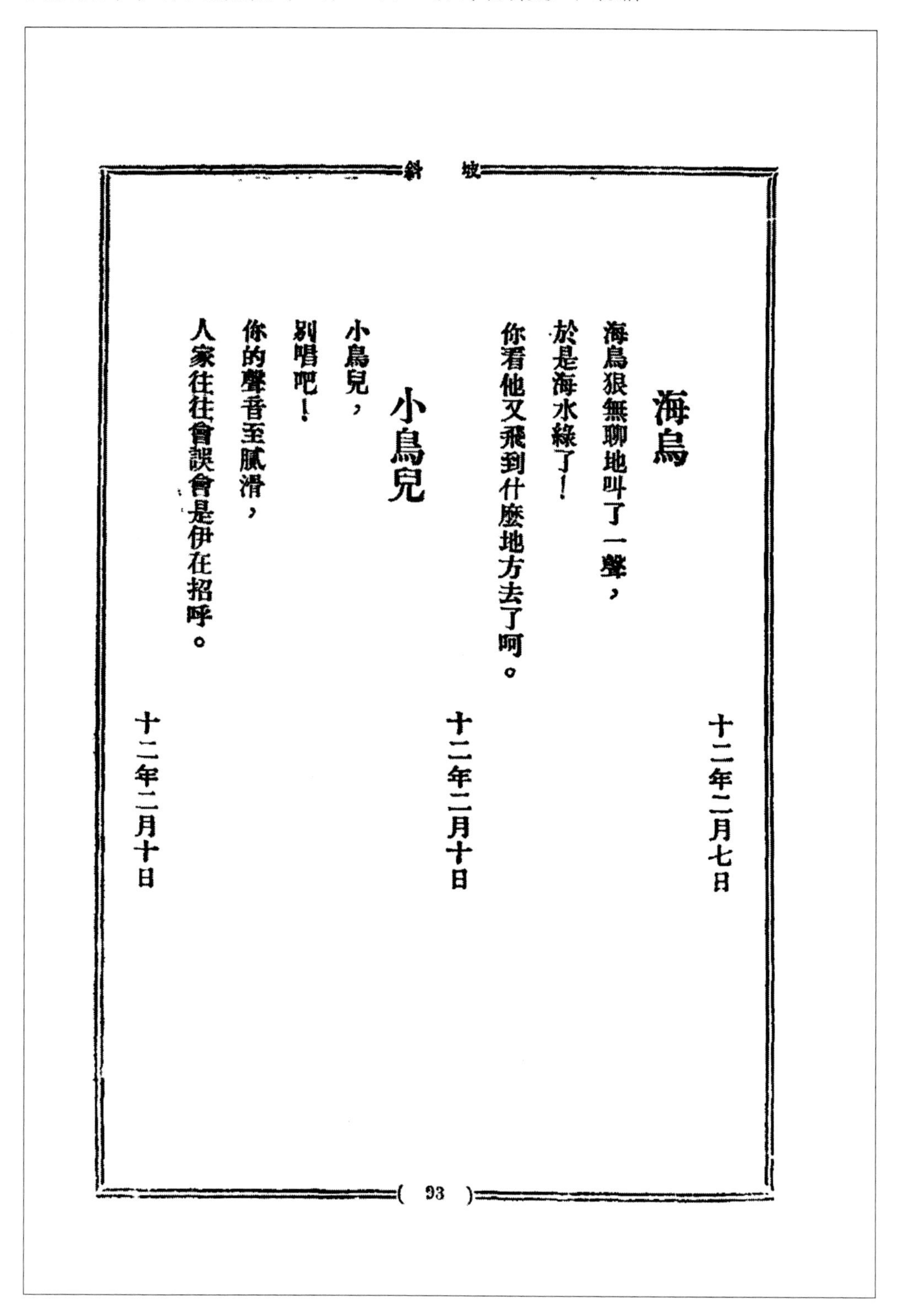

海鳥

海鳥狠無聊地叫了一聲，
於是海水綠了！
你看他又飛到什麽地方去了呵。

十二年二月七日

小鳥兒

小鳥兒，
別唱吧！
你的聲音至膩滑，
人家往往會誤會是伊在招呼。

十二年二月十日

愁人的心目

蒼鬱的密菁，
衆鳥在唱和！
愁人也不覺什麼好，
他以爲都是四面的楚歌。

十二年二月十日

枯樹

自從斷絕了春情，
省却多少桀枯公案！

十二年二月十日

囘頭

囘頭，沙灘上僅有吾的足印，

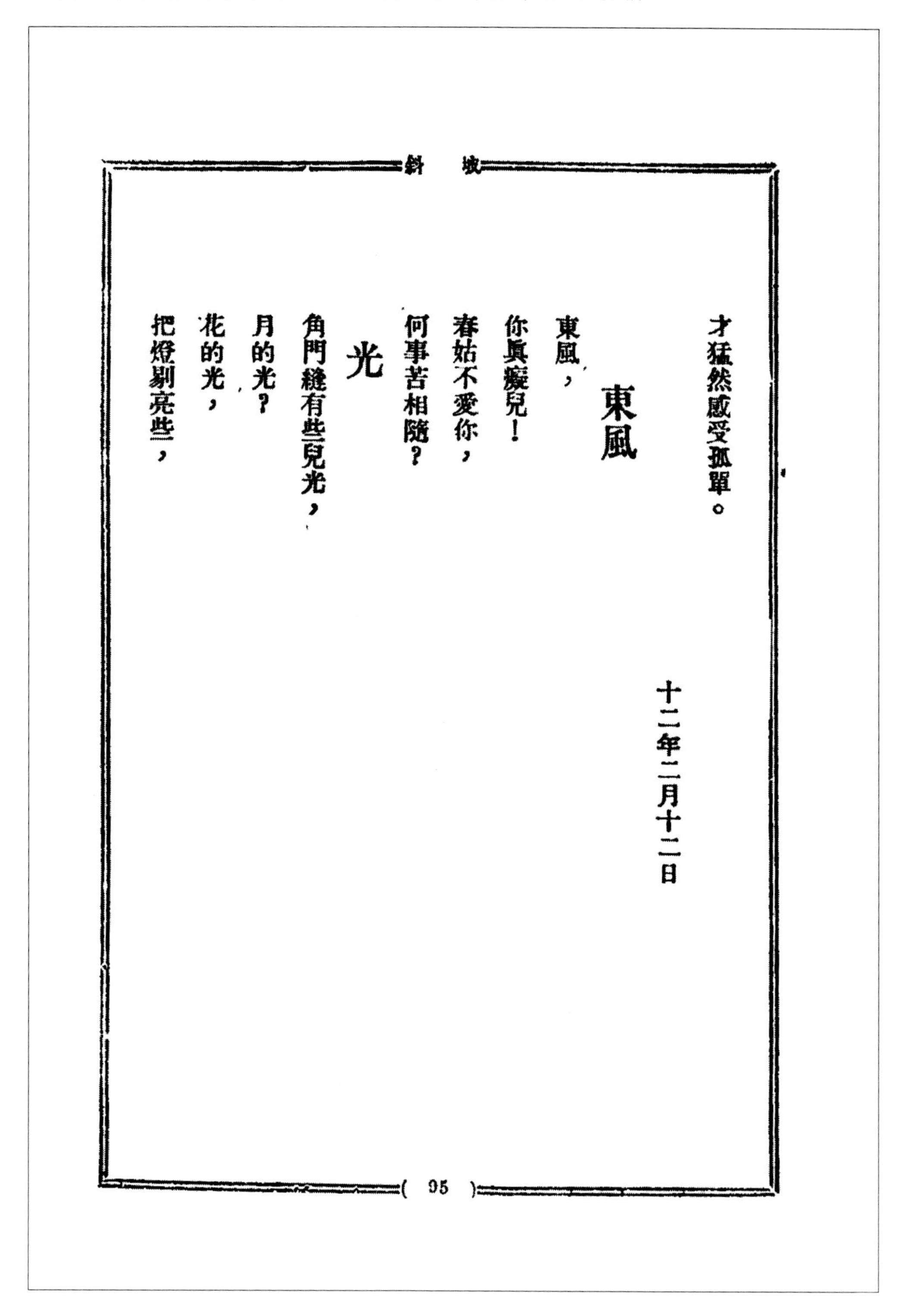

才猛然感受孤單。

十二年二月十二日

東風

東風，
你眞癡兒！
春姑不愛你，
何事苦相隨？

光

角門縫有些兒光，
月的光？
花的光，
把燈剔亮些，

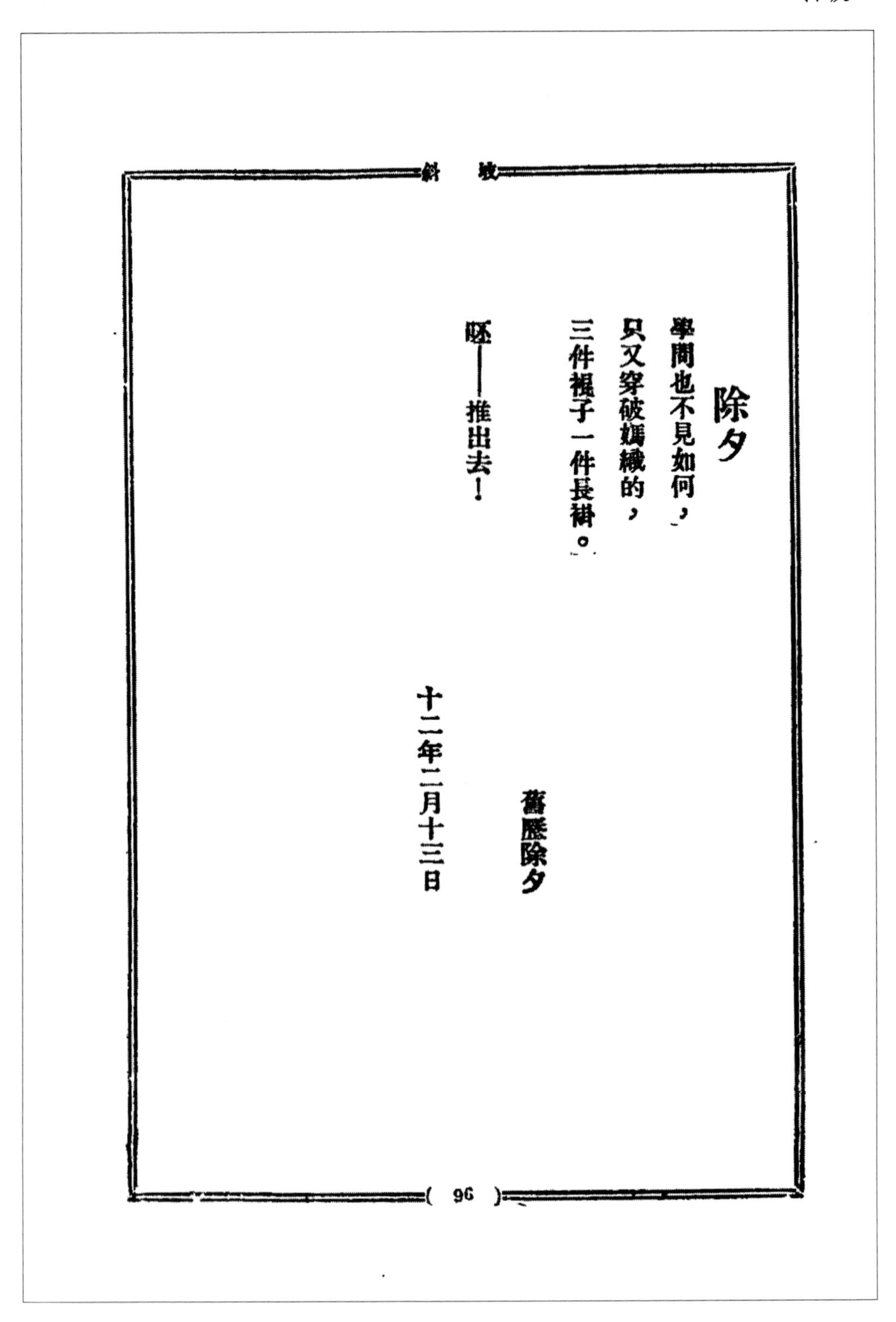

除夕

學問也不見如何，
只又穿破媽織的，
三件褂子一件長褂。

呸——推出去！

舊曆除夕

十二年二月十三日

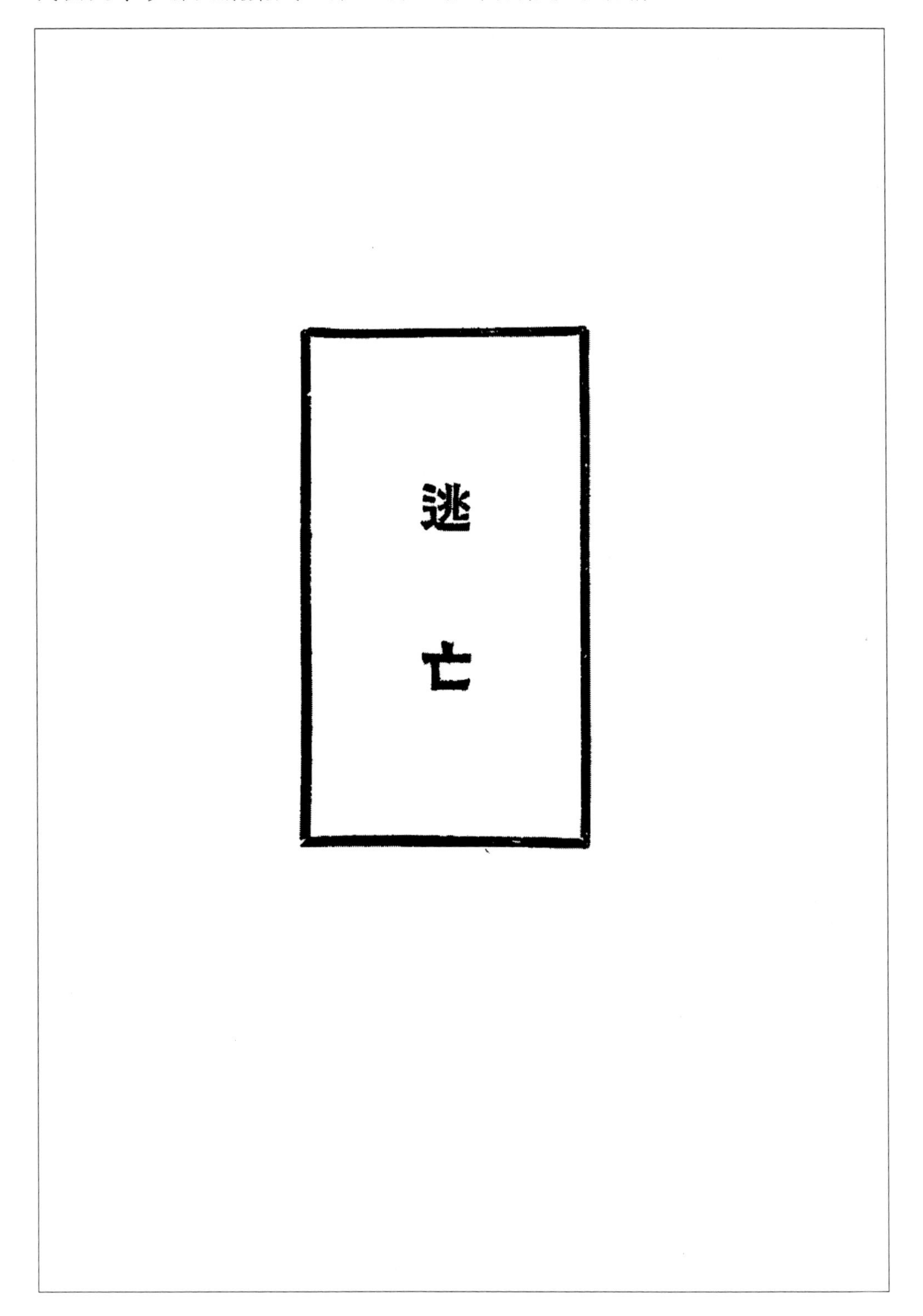
逃
亡

色呵，把青年們的眼睛刺盲了！
香呵，把青年們的心薰得陶醉了！
——靜庵——

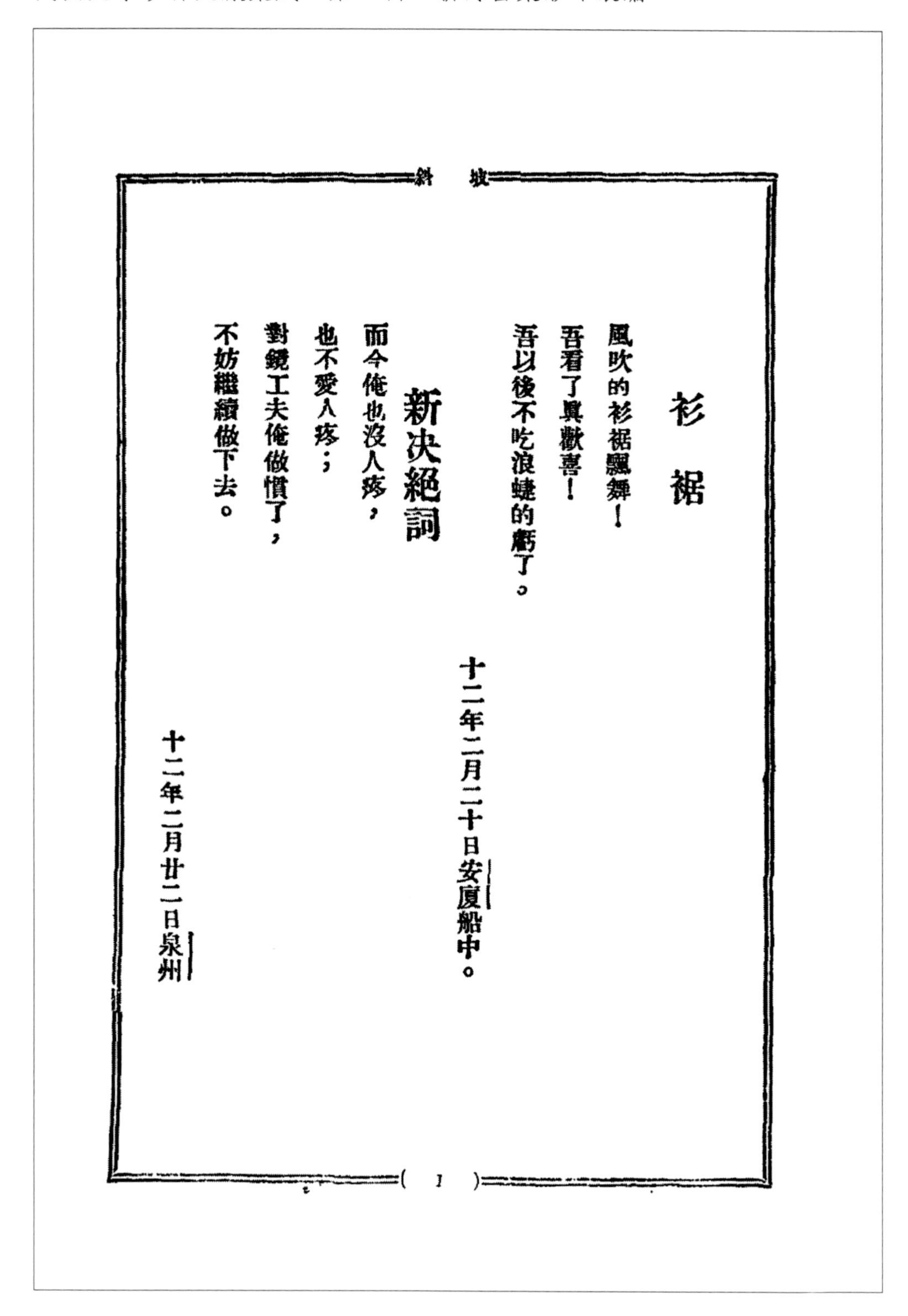

衫裾

風吹的衫裾飄舞！
吾看了眞歡喜！
吾以後不吃浪蝶的虧了。

十二年二月二十日安廈船中。

新決絕詞

而今俺也沒人疼，
也不愛人疼；
對鏡工夫俺做慣了，
不妨繼續做下去。

十二年二月廿二日泉州

無題

好了，犬兒跑進去了，
小孩子搖着鼗鼓也進去了。
可是期待久久，
却沒有傳出來什麼好消息。

十二年二月廿六日泉州。

讀佛經

他們池中有蓮華，
赤色赤光，
白色白光，
青色青光，
黃色黃光，

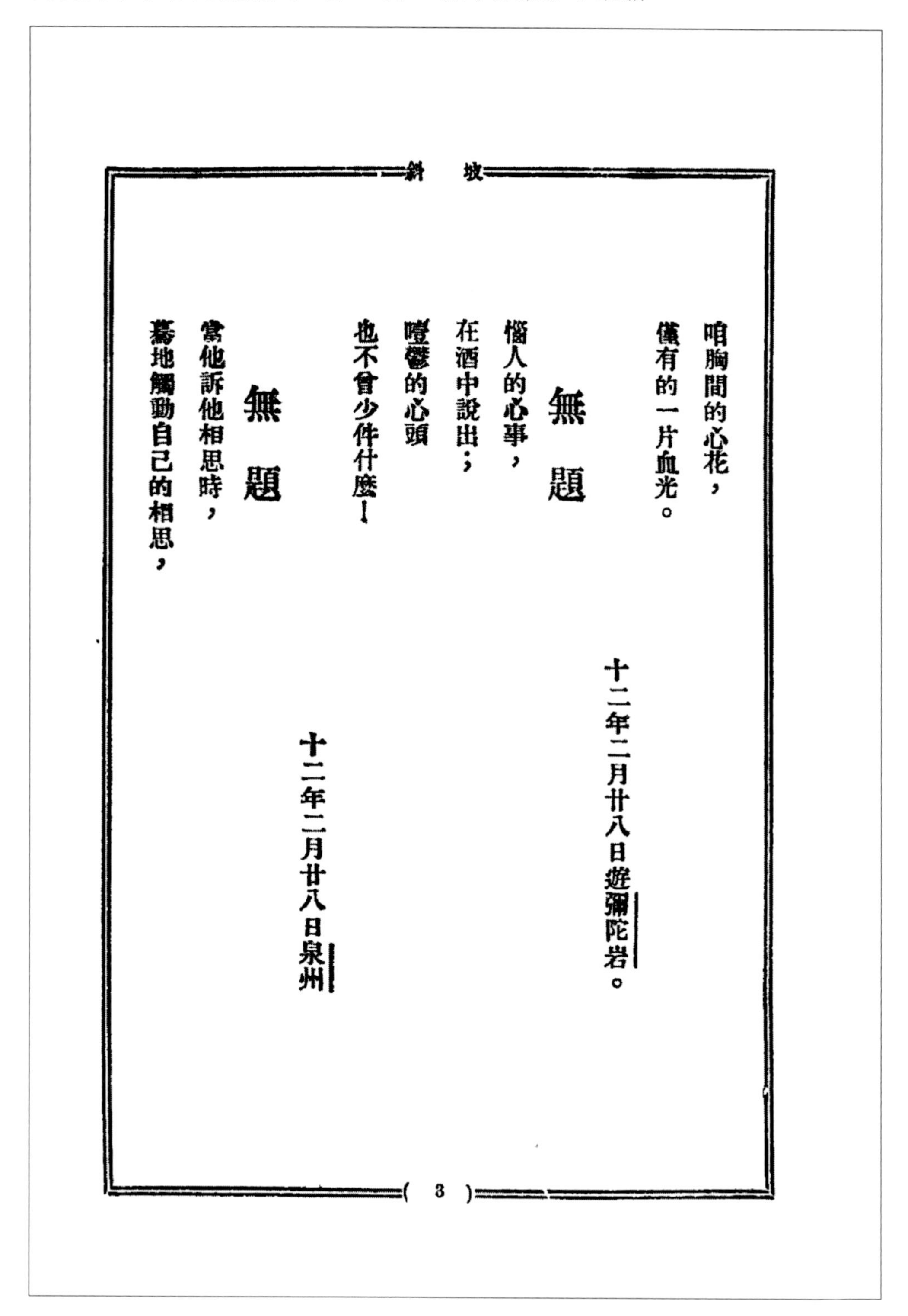

咱胸間的心花，
僅有的一片血光。

十二年二月廿八日遊彌陀岩。

無題

惱人的心事，
在酒中說出；
噎鬱的心頭
也不會少件什麼！

十二年二月廿八日泉州

無題

當他訴他相思時，
驀地觸動自己的相思，

因此硬要入冒險去。

十二年二月廿八日泉州

無　題

我想伊這時睡覺了，
就是多寫詩也不淸楚，
不如也睡吧。

十二年二月廿八日泉州

無　題

愛呵——聽，
宇宙徹夜徹明一派賊殺聲！
愛呵，吾怕…………………
………吾怕你，你一切的怕………

愛呵，燃着真火，
熾滅這個…………吧！

十二年三月廿四日安平鎭

路旁的墳墓

路旁頹唐的黃土堆底的長眠者，
你須是人生旅路上跑的狠倦很倦的客人，
你也無暇揀堆比較潔淨的地方去休息。

十二年三月廿五日安海

假若………

假若一隻鳥兒溺斃在深淵，
人們必然說他是貪潭水的涼爽，
至少也要說是貪照自已纖麗的影子。

是的呵，他就是自憐不已，
才去找同調者呵。

當他躍入水中時，他絕對沒有覺悟；
當他僵勁而又纖薄的尸首
給潭水——至清明的潭水——
流出來給人們看時，他絕對沒有覺悟！
是的呵，沒有覺悟是對的！
世間的一切都因為覺悟才產生罪惡！

十二年三月廿五日安海——

停車場什感

成羣的摩托車，

成羣的旅客，
不少地馱去馱來，
不禁把從前所不解的「僕僕人生」的迷夢喚醒了。

十二年三月廿五日安海

豐碑

贔屭背上的豐碑，
不啻他物主一幅供狀！
他們怕後人忘記當時在民間製造的罪惡，
所以一一勒在石上。

十二年三月廿五日安海

別泉州

泉州有一大羣徧體白毛茸茸的僵尸在作祟！

吾在他們的四面荊榛的叢塚，
受彀了揶揄和誘惑而跳出來！
吾的靈魂正在安慰！

新橋的丐者又號咷頓足狂熱似的挽留！
吾雖然懂得他們的目的不過要同吾要錢，
但又惹起吾沒情沒緒的傷心！

東西搭硬着心腸送吾們去，
摩托車中的回望，
塔脚銀鼠色的暗霧慘慘澹澹的
像冒煙的火山缺口在噴氣！

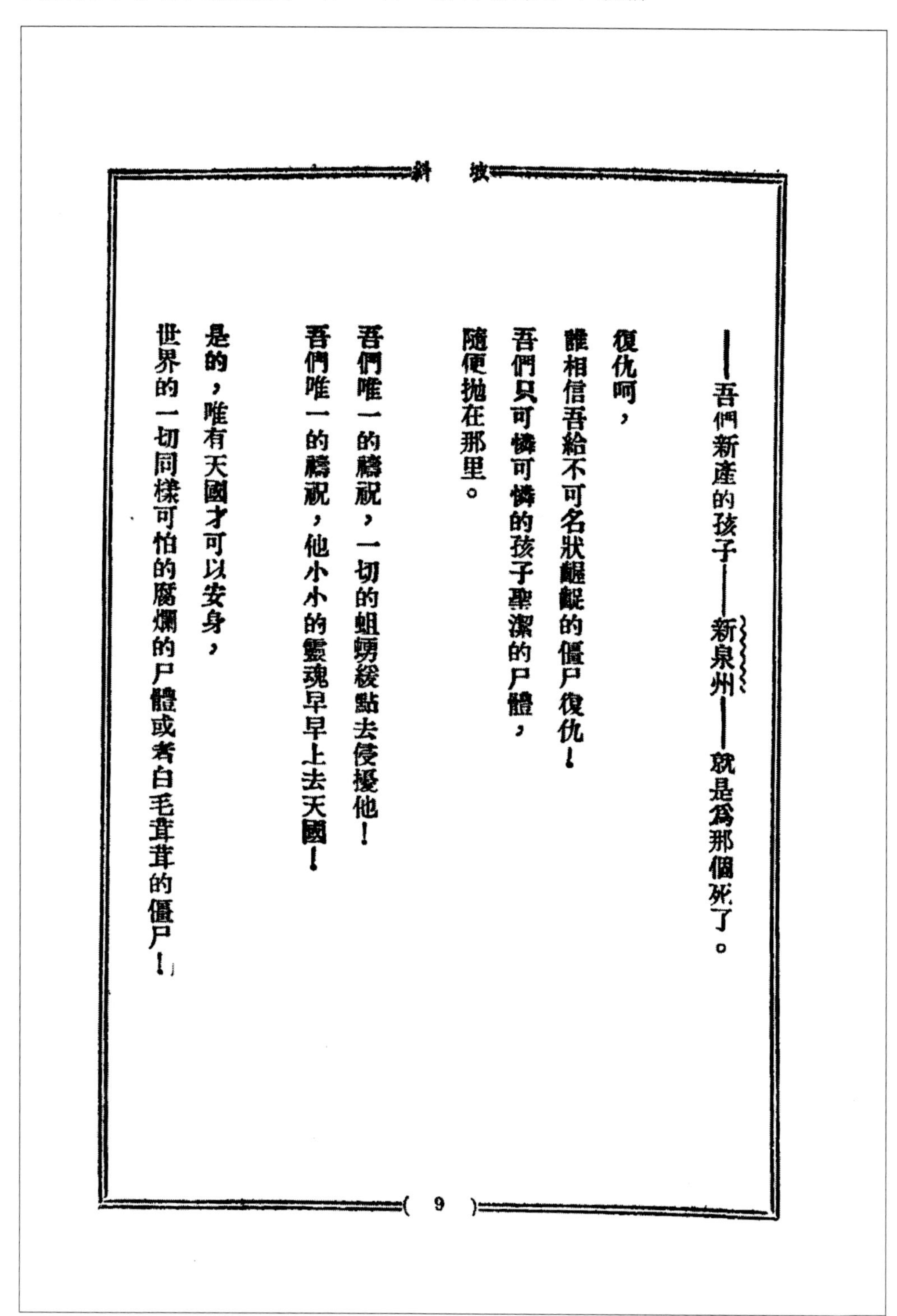

——吾們新產的孩子——新泉州——就是為那個死了。

復仇呵，
誰相信吾給不可名狀齷齪的僵尸復仇！
吾們只可憐可憐的孩子聖潔的尸體，
隨便拋在那里。

吾們唯一的禱祝，一切的蛆甥緩點去侵擾他！
吾們唯一的禱祝，他小小的靈魂早早上去天國！

是的，唯有天國才可以安身，
世界的一切同樣可怕的腐爛的尸體或者白毛茸茸的僵尸！

吾們可愛的小孩子啊，
吾們上天國找你。

別了泉州，
別了，宇宙的一切，
吾們上天國去！

十二年三月廿六日安泉車中

郵政局歸路

郵政生送吾似的出來閂門，
隨手把柰黃的月姐姐夾在門縫，
理髮店的電汽燈白的非常之白！
海產店的老板二五進一十地計算他的牛馬賬；

屠大哥洗淨了血手又在計算明天猪兒的生命！
街上的遊人，漸漸地走進一派迷人的音樂的窩中

桂紅堂，鴻福堂………………

伊們用紅燭的淚來表示伊們的情愫，
——燭淚乾時伊們可以添然的情愫！
伊們用淫蕩的音樂來勾引伊們的同情者。
沒事辦的固然來了，
有職業的也丟下來了；
趕脚的拴着驢兒來了，
今天下鄉提鵝鴨的也摔着八字鬚兒來了；
一個連一個的走進伊們擺下的陣子。

久久，燈光緩緩昏下去，
室內凄凄楚楚彈出送殯之歌！

——十二年三月廿六日安平鎮

詩神

不和平的心情，
壓低了眉尖！
詩神逡巡要遁了，
吾令門者鎖了宇宙之門，
但他騰挪跳避
終是靈敏不過！
從此園裏的杏花都被了一層黃迷的薄霧似的愁苦的幌幔，

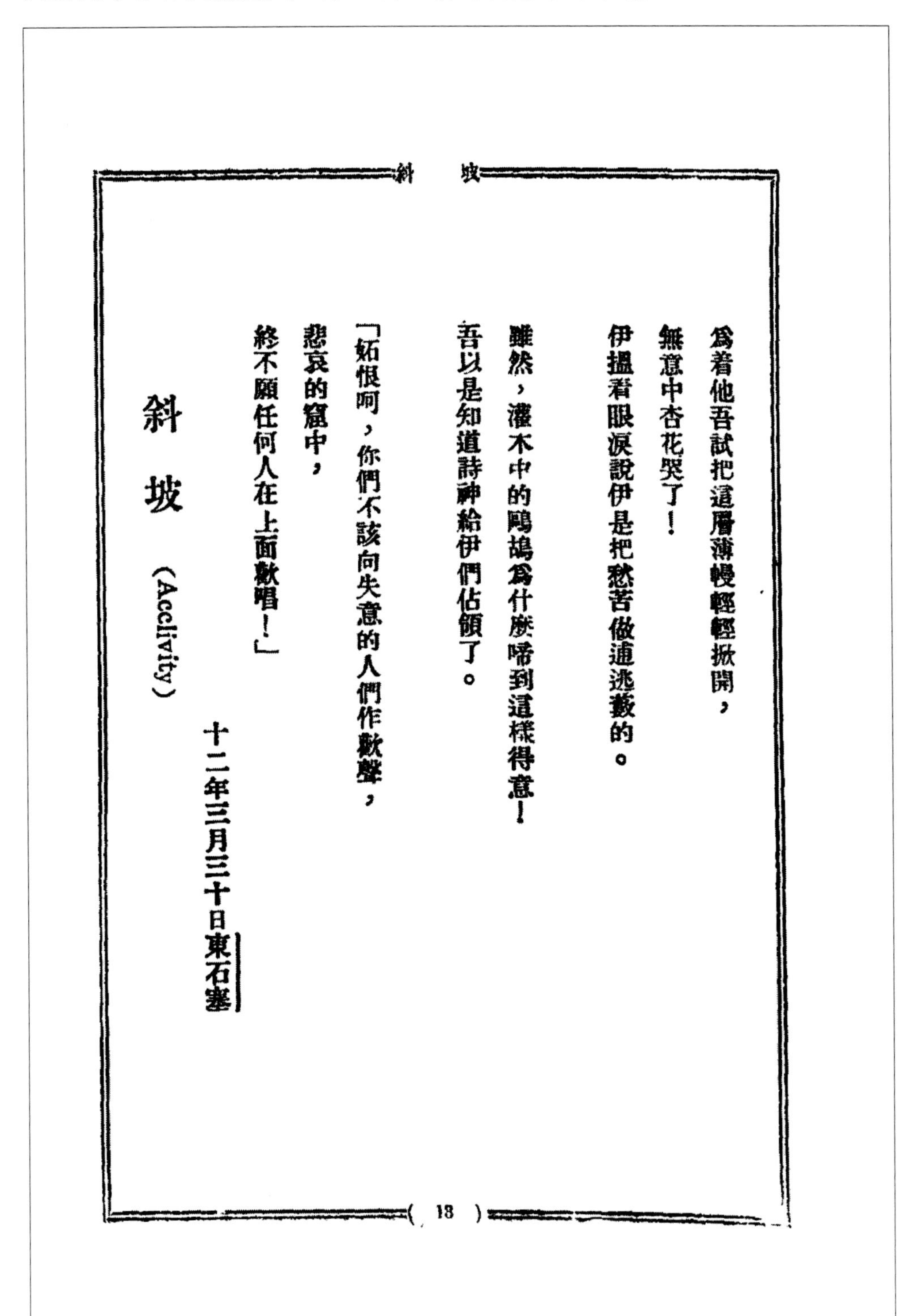

爲着他吾試把這層薄幔輕輕掀開，
無意中杏花哭了！
伊揾着眼淚說伊是把愁苦做逋逃藪的。
雖然，灌木中的鵁鴣爲什麽啼到這樣得意！
吾以是知道詩神給伊們佔領了。

「妬恨呵，你們不該向失意的人們作歎聲，
悲哀的窟中，
終不願任何人在上面歎唱！」

十二年三月三十日東石塞

斜　坡

(Acclivity)

T.姑散學回來就拿把交椅坐在前樓欄干左側紫籐架下休息。

西嶺疲倦紅光的反景恰射進伊深亘的黑白分明的媚眼！

伊驀地受了這番打擊，

晶亮的淚花早滴滴滴的流過淺暈的雙渦！

伊伸手去摸手巾，

沒意沒思地又把那張相片摸出來——

——一對結婚式的相片！

伊既忍不住不去看他，

伊又舉頭瞭望對面山脊那條如髮的赤裸裸的鳥道，

從這邊大的那一端望到那邊的尖端，

灣灣曲曲走下一個小小的斜坡竟不知那里去了。

傍晚的蕙風吹的伊面上的淚痕冷冷！
一層輕羅似的淚膜遮蔽了伊的媚眼，
伊模模糊糊地看見斜坡上一騎馬珊珊而來，
——又好像去似的，
——又好像有什麼人跟在他背後。
——又好像兩個人並轡似的款款扭扭的在馬上接吻！
隔了一會，伊眼上的淚膜所映的幻景又給冷冷的晚風吹掉了！
伊冒冒失失地瞧見斜坡上二株榕樹在搖擺！
「榕呵，吾倆曩日不是在那兒分手嗎？
他的外掛是掛在你的枝上，
驢兒是拴在你的腰上，
吾倆是膝對膝坐在你脚下垂淚！

榕呵，他用衫袖替吾揾淚！
他抱吾，吻吾，一切的舉動，一切的問答。你統知道了；
榕呵，虧你也忍扯謊！」

榕的沉默，似告伊以無他，
伊煩亂的心緒也相信榕終沒有哄騙伊。
伊究竟痴想，伊又摸出另外一張纖俏而又穠媚的小照！
——像衣有S.城郵局的擢記，分明才從那兒寄回來。
伊痴心地凝視，伊看到兩邊的題字，
不禁又嗚咽地哭起來；
但伊又不住地反復念：
「Y.S.哥哂留」

「妹T.| 月 日」
「〇〇日嗎？不是你臨去那一天嗎？
「這幾個字不是你臨去在那榕樹之下强吾題的嗎？
「呵，薄命的T.|呵，你跟了他去，如今只着你冷清清一個囘來！
「呵，薄命的T.|呵，他怎地拼棄你怎地摒擋你囘來？
「呵，薄命的T.|呵，他的新人該傾敬了，到底怎樣呀？

影的沉默，越增伊的煩悶！
伊又不自禁拾起他倆的相片深深瞅了一眼！
伊又不自禁走進房裏去照照穿衣鏡！
伊又不自禁翻閱伊的詩稿，
伊又不自禁放聲讀伊對他作的戀歌！

伊的嗓子不比閒才咽梗了，伊狠放出聲浪誦讀！

熱淚拼出來，伊也無暇去揩拭，

憑他流過了淺渦，流入雪白的酥胸！

這時正是石榴天氣，

淡紅的暹紗的短襖，

溼透了緊貼着胸間，

把兩團粉團捏就的小球兒露出來隱躍可見。

但是伊讀到一段，又不由伊不記起他了！

伊記得他臨別時叫伊把頭髮翦了，他說S.城的婦女都剪了頭髮，

他倆結婚後少不得上那兒去。

同時他還摸着伊鬆鬆的美髮說伊將爲伊愛人而舍棄伊父母遺下的

寶貝了。

「對的，他現在的愛人，正是剪髮的……………………」

伊這時又低着頭去看那張影片，
伊的視線恰和影片成直角，
珠串似的淚珠頃刻把那張影子模糊了！
伊又不忍似的用手巾輕輕漬乾！

伊想，伊若早知爨時他是用眼淚來哄伊，
伊也不給他哭了。
伊想，伊若早知他是紙糊的心肝，
伊也不用熱淚去灌漑了！
伊當初也曾想怕不是他的匹偶，

伊臨別時打算要給他聲明，
但甜言的誘惑終令伊說不出來。

說不出呵；
而今可想不出了！
伊心頭有一塊重重的巨石，
將願望加緊壓住！
使伊的胸中充滿了怨意！
伊瞟着室中的器皿，
髣髴都篆着他的姓字；
伊一一把一切的器皿咀咒！
等到伊開始覺得自己腦中也篆着他的姓字時，

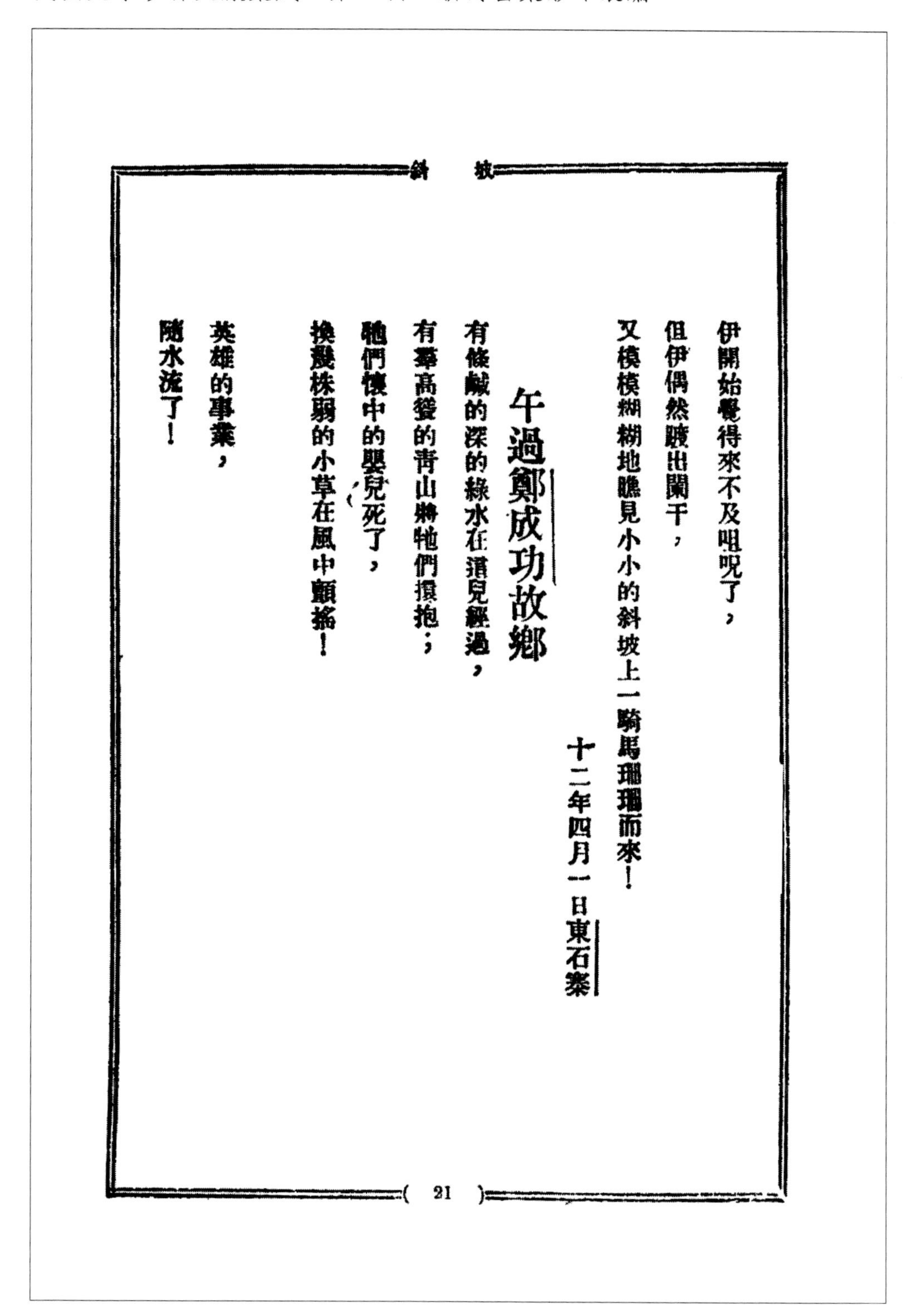

伊開始覺得來不及咀呪了，
但伊偶然踱出闌干，
又模模糊糊地聽見小小的斜坡上一騎馬珊珊而來！

十二年四月一日東石案

午過鄭成功故鄉

有條鹹的深的綠水在涓涓兒經過，
有羣高發的青山夠牠們摟抱；
牠們懷中的嬰兒死了，
換幾株弱的小草在風中顫搖！

英雄的事業，
隨水流了！

不，隨着浪沫消散了。
浪沫的心呵，
偶然給某種激刺開了幾朵白的白的花，
和平而柔綏的水呵，
莫須有這白的白的浪沫也罷。

鄭成功先生故鄉在安海石井鄉，前面有綠綠的水，背後負着高聳的山，居民非常寥落，登臨憑弔，不禁感慨繫之。

十二年四月四日安廈船中

夢醒

夢中分明相偕逃亡，
醒來又空着懷抱！
髣髴時，還像身在佈滿山花的空野

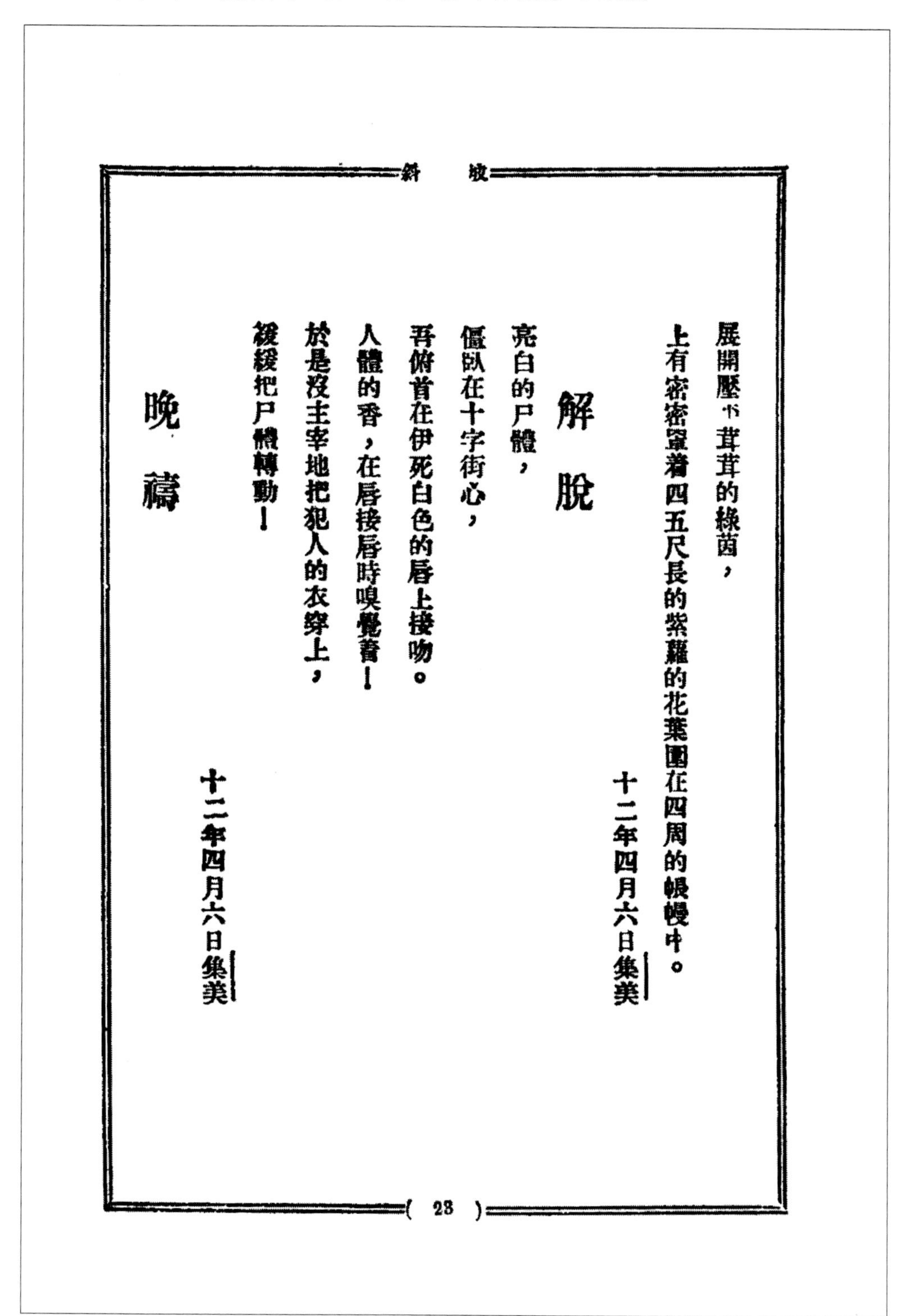

展開壓々茸茸的綠茵，
上有密密罩着四五尺長的紫蘿的花葉圍在四周的帳幔中。

——十二年四月六日集美

解脫

亮白的尸體，
偃臥在十字街心，
再俯首在伊死白色的唇上接吻。
人體的香，在唇接唇時嗅覺着！
於是沒主宰地把犯人的衣穿上，
緩緩把尸體轉動！

——十二年四月六日集美

晚禱

上帝呵，
願你憐憫迷罔的孩子，
把伊赤裸裸送過來！
讓吾展開蟬翼般淚膜，
將伊綳裹在懷中，
像母親撫嬰孩那樣擁伊熟睡！

上帝呵，
願你憐憫迷罔的孩子，
把伊赤裸裸送過來！
讓吾靡挲其軟玉般全體，
吾將得着像今早吃至柔膩的香蕉酥得着那樣的快感！

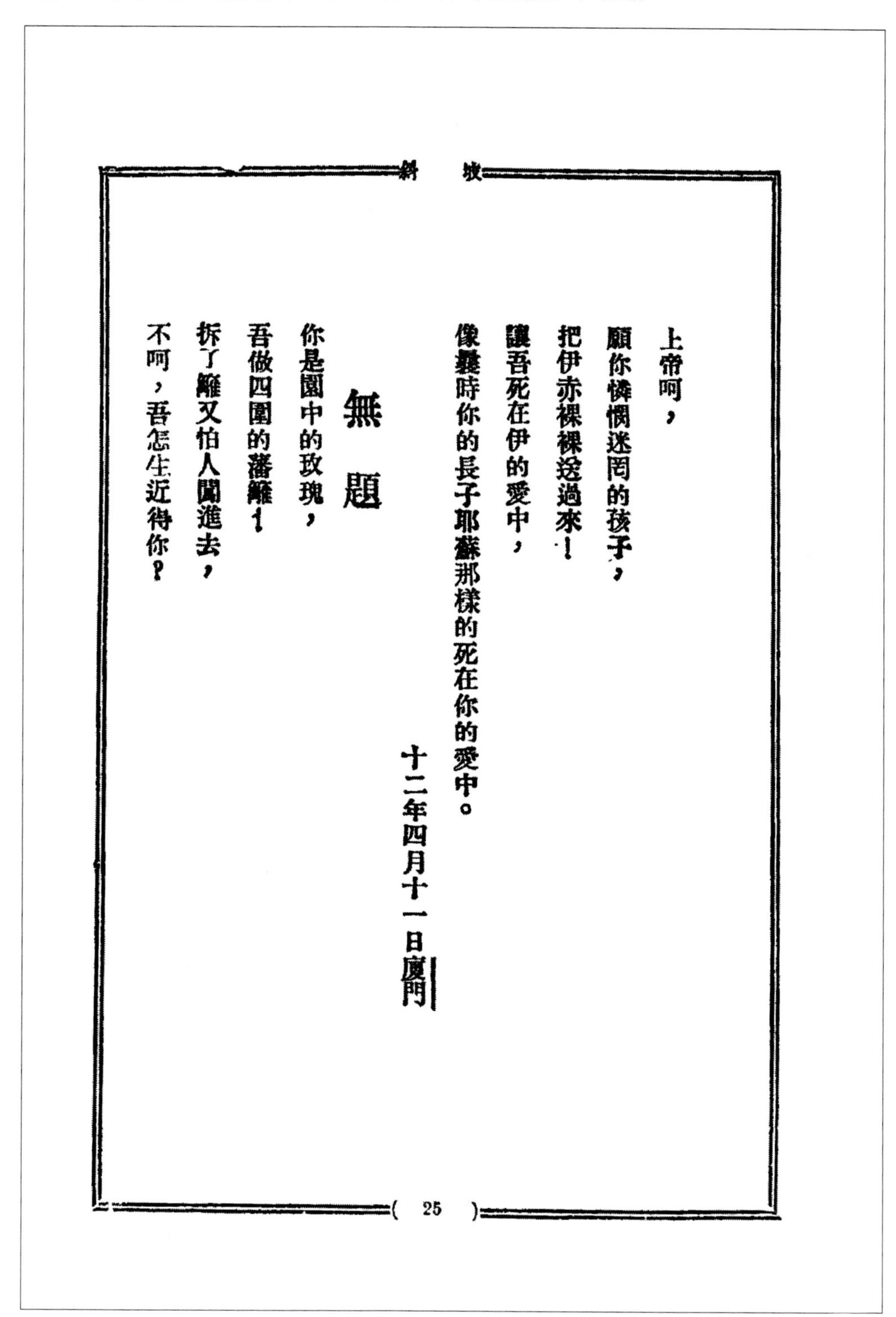

上帝呵，
願你憐憫迷罔的孩子，
把伊赤裸裸送過來！
讓吾死在伊的愛中，
像曩時你的長子耶穌那樣的死在你的愛中。

十二年四月十一日厦門

無題

你是園中的玫瑰，
吾做四圍的藩籬！
拆了籬又怕人闖進去，
不呵，吾怎生近得你？

吾是雪嫩的小腿，
你做襪圈兒緊緊扎住！
要待放鬆點兒，
又恐褪下了粉紅襪子。

你是柔緩的暖流，
吾做水面的閒鷗；
吾怕你興波作浪將人淹沒，
你怕吾隨着萍兒東浮，西浮！

十二年四月十五日集美

房　中

你閂住了門，
閂住了門將吾關閉在房中。
你的面朝着燈光，
吾的眉尖抵住你的笑靨；
你問吾，吾問你，
但是，你不答……

你休問吾用情的眞假呵！
你的胸間暫時給吾睡着，
你的靈魂暫時給吾抱着；
一瞥的人生，
一瞥就過去了呵。

別情

吾不是因爲鷄啼就動了別情，
吾怕天明時殘酷的驕陽瞥見！
並且，鳥兒啁啁囃囃速吾登途，
吾只得把這副脈脈的柔情悄悄交給暫時的黑暗。

十二年四月廿一日

黑暗的回憶

黑暗中談話，
黑暗中的甜密！
伊的嘴隨便可放近吾的耳輪，
吾的眼珠隨便可注視伊瞧不見的全體。

十二年四月廿二日

感謝油涸的煤汽燈，
給吾們多末勇敢！

那時什麼音響都不管啊，
狗吠的聲，鷄啼的聲，
以至於壁脚的脚步，隔室的絮語，小孩的夜啼……

不堪說的呵，上帝給吾這個回憶！
他又給吾這個印象——今夜的印象。
今夜吾的朋友也像你一般和吾在黑暗中談話。
並且不止如此
吾們今夜是睡着的談話。

睡着的談話呵，
吾萬萬不敢希望！
——因爲這個是犯賊的贓證呵。

然而，吾想，吾們仝睡着，
像吾和吾的朋友那樣仝睡着有什麼要緊？
但社會不願意呵！
而且吾們這樣行逕，
也是虛僞的社會所不容的；
因此吾就想到幼時和吾的親愛的妹妹睡覺現在父母就不許進吾們
自己也絕對不肯的事。

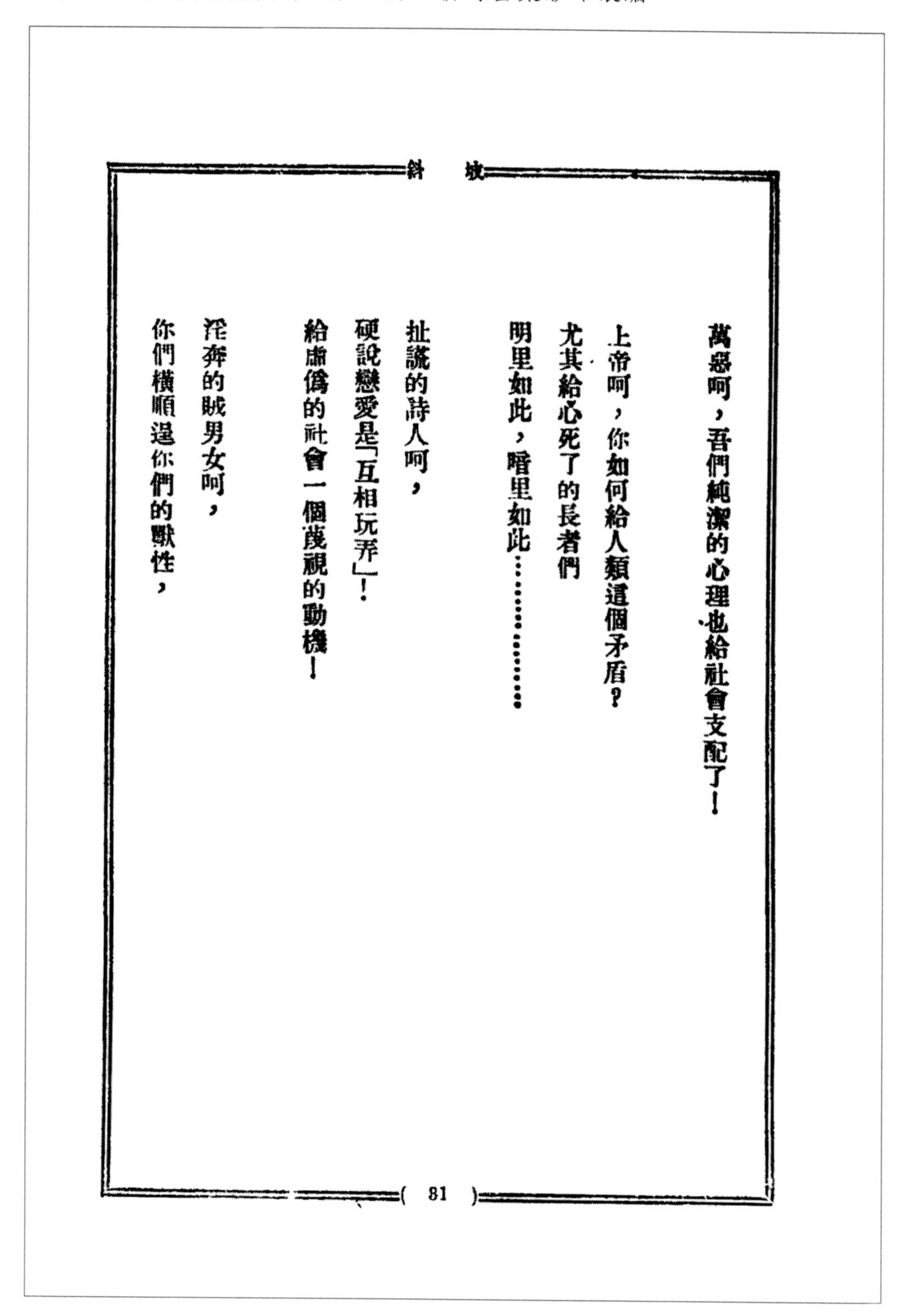

萬惡呵，吾們純潔的心理也給社會支配了！

上帝呵，你如何給人類這個矛盾？
尤其給心死了的長者們
明里如此，暗里如此…………

扯謊的詩人呵，
硬說戀愛是「互相玩弄」！
給虛偽的社會一個蔑視的動機！

淫奔的賊男女呵，
你們橫順還你們的獸性，

給虛僞的社會做口實！
不堪說的呵，
上帝給吾個這回憶，
他又給吾今夜這個印象呵！

十二年四月廿五日

懺悔

朝陽瞪着黃金的眼睛瞟吾，
不由吾慚愧地供出夜來的罪案；
吾悔不該摩挲？綿軟的手，
當銀灰色的幽光將死之時。

朝陽瞪着黃金色的眼睛瞟吾，

不由吾悔愧地供出夜來的罪案：
吾悔不該探弄其酥胸，
當伊在黑暗中伏在書桌上假寐之時。

朝陽瞪着黃金色的眼睛瞟吾，
不由吾慚愧地供出夜來的罪案：
吾悔不該親其柔滑的酒渦，
當伊的臉貼住吾的臉伊的鬈鬈的美髮披拂吾的額上之時。

朝陽瞪着黃金色的眼睛瞟吾，
不由吾慚愧地供出夜來的罪案：
侮辱呵，吾實在侮伊了！

但是吾還不敢………
處女的聖潔，
吾的確不敢………
黃金色的眼睛呵，
赦免你還有些天良的叛徒吧！

十二年四月廿九日。

平安

平安躲在犬兒的腹中，
倘牠不汪汪地吠出來，
平安永遠和靖。

平安是躲在行人的脚底，

倘他不把履聲沙沙拖動，
平安永遠和靖，

平安是躲在四周的空間，
倘牠不露出絲毫的影響，
吾的脚兒雖則在黑暗的道中走動，
吾的心房永遠和道旁的屋宇一樣和靖。

十二年四月三十日。

是誰人呀

是誰人呀，把愛情丟在相思的路上！
是誰人呀，把相思的路掘斷！
但是假使宇宙不會沒有深綠色般黑夜；

吾倆的相思夜夜可由無知的暗中偷偷接吻！

十二年五月一日，檀林，

憶顯雅

雅弟，吾不懂怎地忍心丟下你，
當時你在孤單
或許至於現在。
吾們是墳頭的老鴉，
有興時合唱幾句靡和調子，
夕陽打斜了就悄悄地各歸各的窩裏——

雅弟，慈祥的鳥兒！
你築在吾心坎的巢窩，

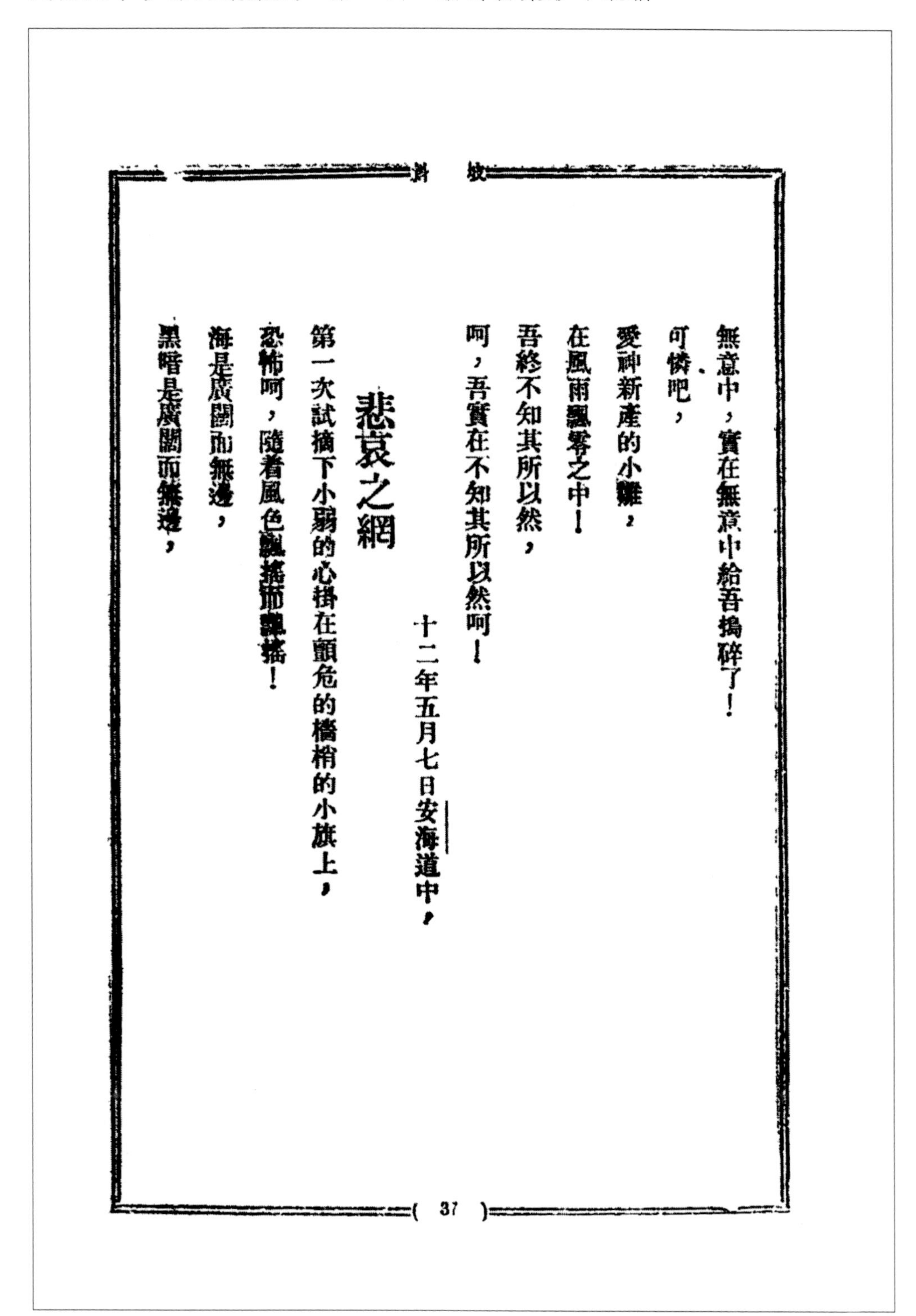

無意中，實在無意中給吾搗碎了！
可憐吧，
愛神新產的小雛，
在風雨飄零之中！
吾終不知其所以然，
呵，吾實在不知其所以然呵！

十二年五月七日——安海道中，

悲哀之網

第一次試摘下小弱的心掛在顫危的檣梢的小旗上，
恐怖呵，隨着風色飄搖而飄搖！
海是廣闊而無邊，
黑暗是廣闊而無邊，

恐怖是廣闊而無邊！
遊蕩而無聊的飛鳥，
把心泉射出來一縷一縷的柔絲
一縷一縷纏住他們的足趾，
他們縱橫的飛，
縱橫的織成網了！
——把太空罩住的巨網！

他現在是棲息在巨網中，
像一個負巨囊的金足的蜘蛛。
可憐晦運的昆蟲，
如蚊呵，蠅呵，穿黃褂子的蜜蜂呵……………

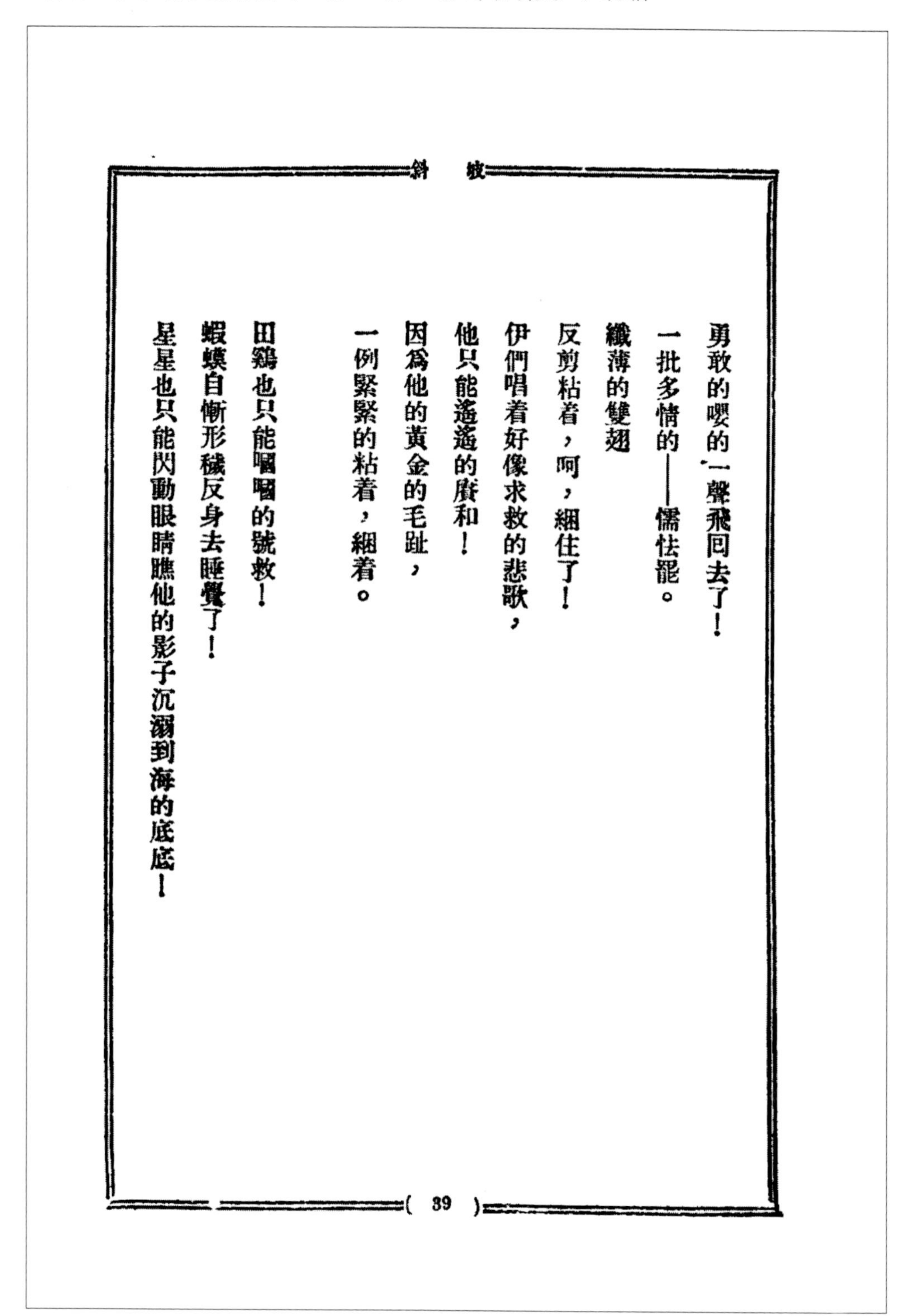

勇敢的嘤的一聲飛回去了！
一批多情的——懦怯罷。
纖薄的雙翅
反剪粘着，呵，細住了！
伊們唱着好像求救的悲歌，
他只能遙遙的賡和！
因爲他的黃金的毛趾，
一例緊緊的粘着，細着。
田鷄也只能嘓嘓的號救！
蝦蟆自慚形穢反身去睡覺了！
星星也只能閃動眼睛瞧他的影子沉溺到海的底底！

雖有時流下了淚

但是一出了眶就墮落了！

灰色的林木，

竟一心要他們墮落！

當他營那種生活時，

每每這個葉擊那個葉拍掌似的歡笑！

殘酷呵，凶狠而且殘酷的！

是的，自他的情人把同樣的網疊在上面以後，

他就漸漸愈覺得悲哀！

他既要擁伊在懷中而不得，

伊的網又漸漸沉重下來！

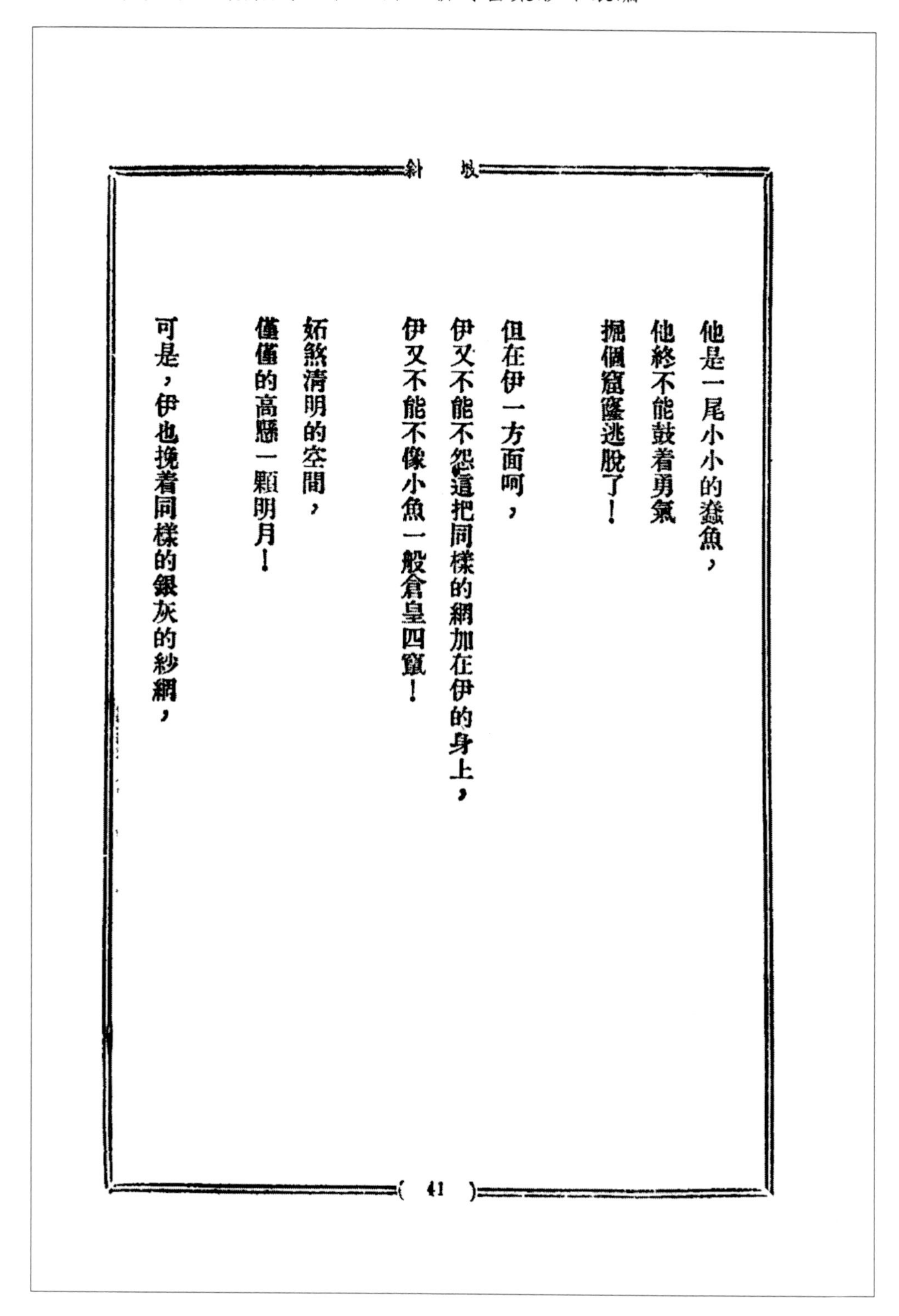

他是一尾小小的蠢魚，
他終不能鼓着勇氣
掘個窟窿逃脫了！

但在伊一方面呵，
伊又不能不怨這把同樣的網加在伊的身上，
伊又不能不像小魚一般倉皇四竄！

妬煞清明的空間，
僅僅的高懸一顆明月！

可是，伊也挽着同樣的銀灰的紗網，

月月如是而且年年如是的
設計波陷人間灰色的男女！
然而悲慘呵，
上帝有時又把伊收在黑霧的袋裏。

一切悲哀之網呵，
一切凶狠而且殘酷！
以至於魚夫們的，
他們的網曬在斜陽的古岸上；
從他們曬網的回溯，
是多麼凶狠而且殘酷呵！

十二年五月十二日。

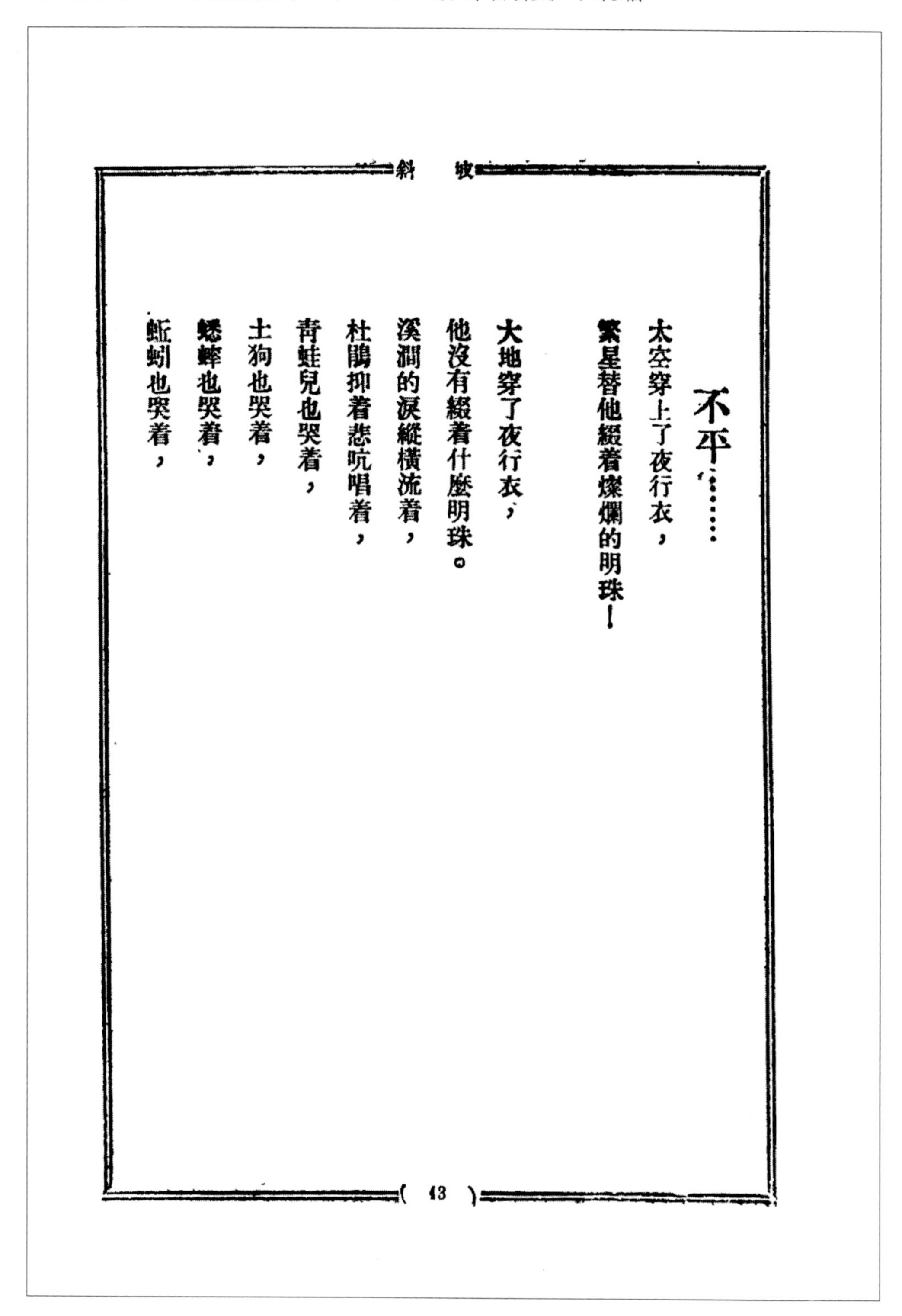

不平……

太空穿上了夜行衣，
繁星替他綴着燦爛的明珠！

大地穿了夜行衣，
他沒有綴着什麼明珠。
溪澗的淚縱橫流着，
杜鵑抑着悲吭唱着，
青蛙兒也哭着，
土狗也哭着，
蟋蟀也哭着，
蚯蚓也哭着，

不平啊，
上帝單把黑紗給他蔽體！
醉夢的人們，
怎知道呢？
墓田的朽骨，
怎知道呢？
街間冷靜的電光，
和那飄忽的燐火，
有什麼代價呢？
螢火蟲怎地渺小，

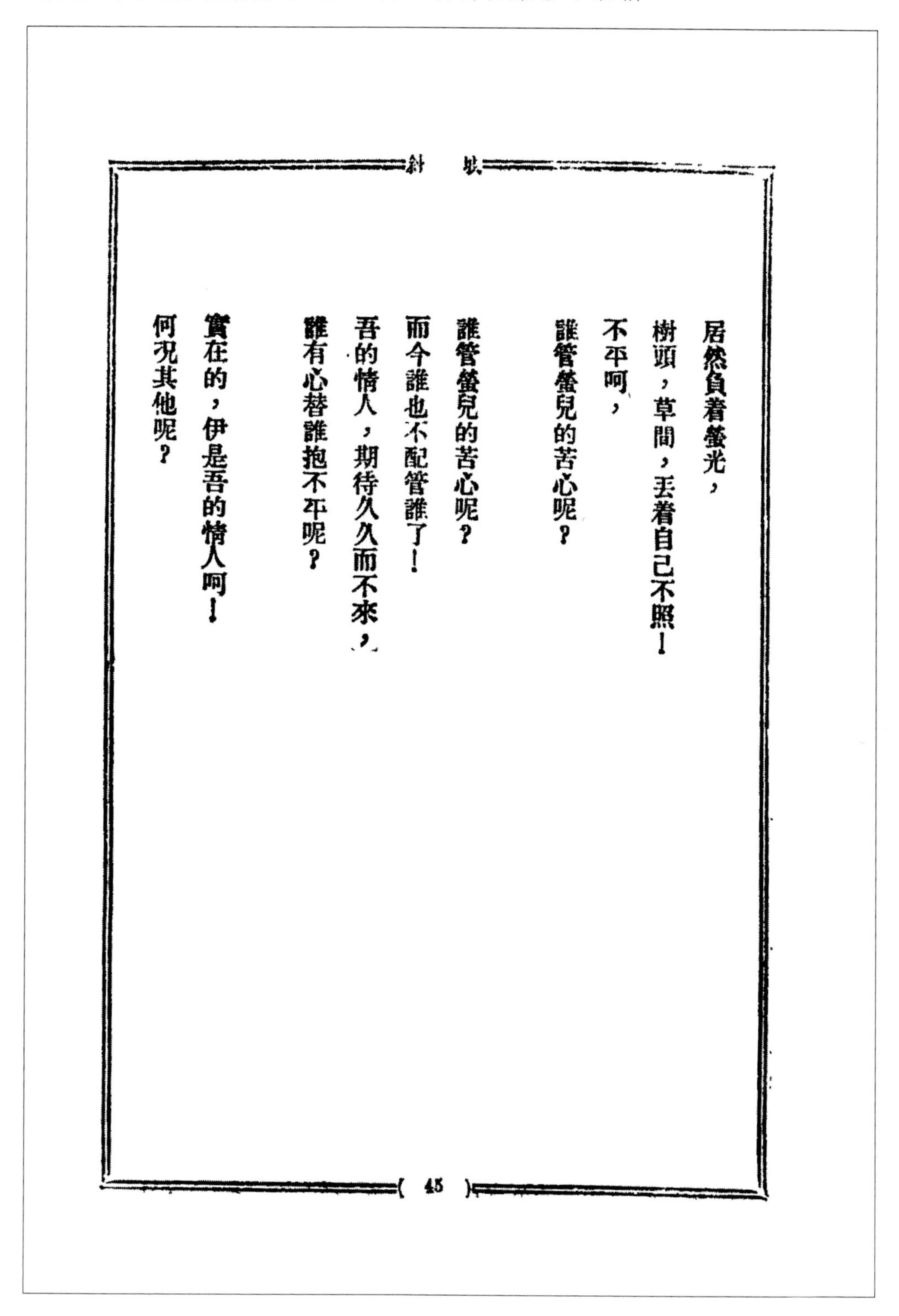

居然負着螢光，

樹頭，草間，丟着自己不照！

不平呵，

誰管螢兒的苦心呢？

誰管螢兒的苦心呢？

而今誰也不配管誰了！

吾的情人，期待久久而不來，

誰有心替誰抱不平呢？

實在的，伊是吾的情人呵！

何況其他呢？

巨石壘叠的粗堤，
堤下的平沙，
潮兒退盡了，
小船躺在泥濘上；
堤上的漁火，
海面的魚火，
眼看的，模糊地看着了，
但是，犬兒又嗚嗚地吠出來呵！
吠出來呵，
心中的抑鬱——
兀坐着呢，

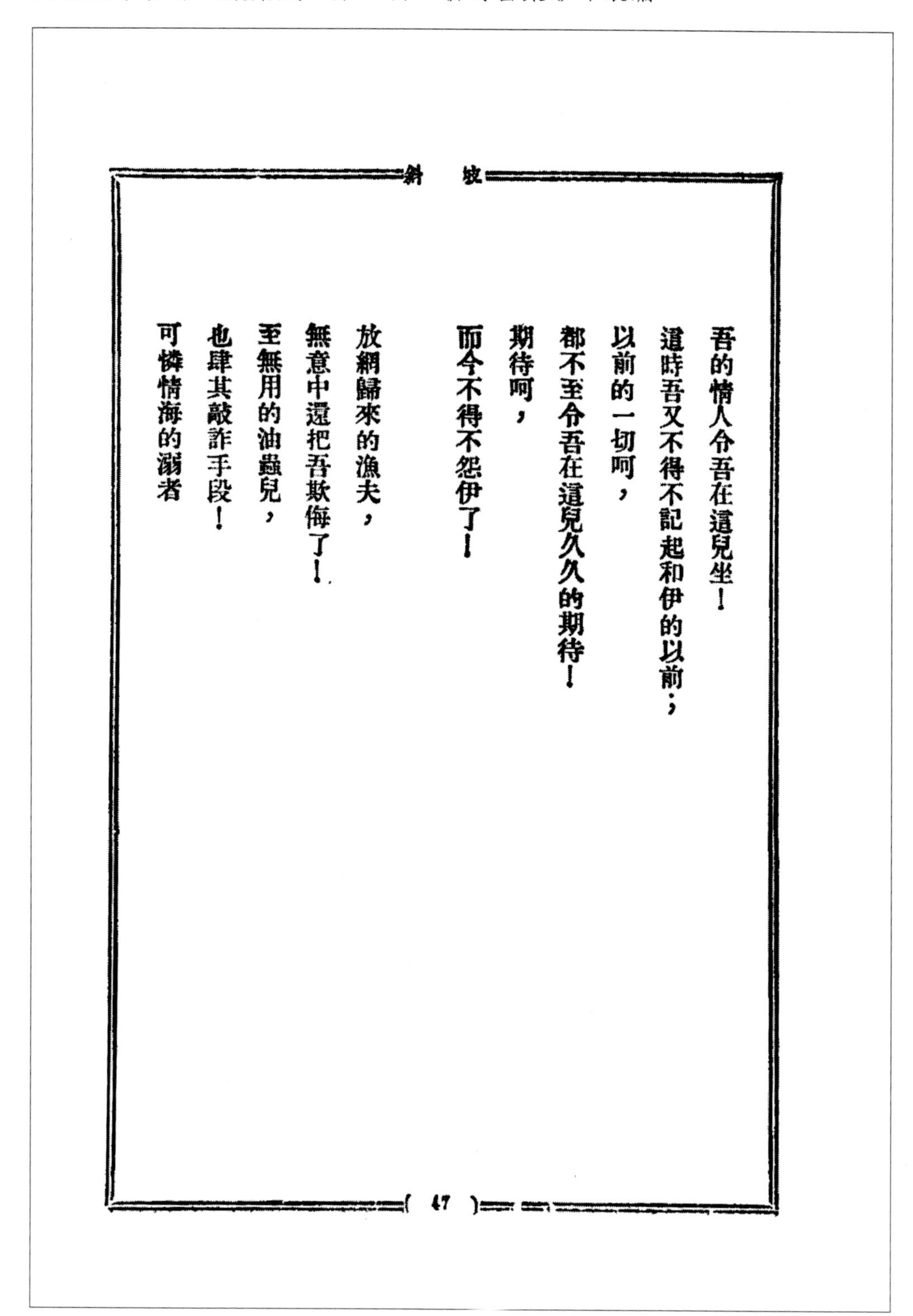

吾的情人令吾在這兒坐！
這時吾又不得不記起和伊的以前；
以前的一切呵，
都不至令吾在這兒久久的期待！
期待呵，
而今不得不怨伊了！

放網歸來的漁夫，
無意中還把吾欺侮了！
至無用的油蟲兒，
也肆其敲詐手段！
可憐情海的溺者

任什麼都可怕！
不平啊，
誰知道呢？

十一年五月十五日水尾宮

接吻

月下的空階，
尺多長的小妹妹給吾摟過來
在熟蘋果的頰上親了一個嘴，
吾當時以爲就是接吻了。

月下的空階，
尺多長的小花兒爬上吾的肩尖，

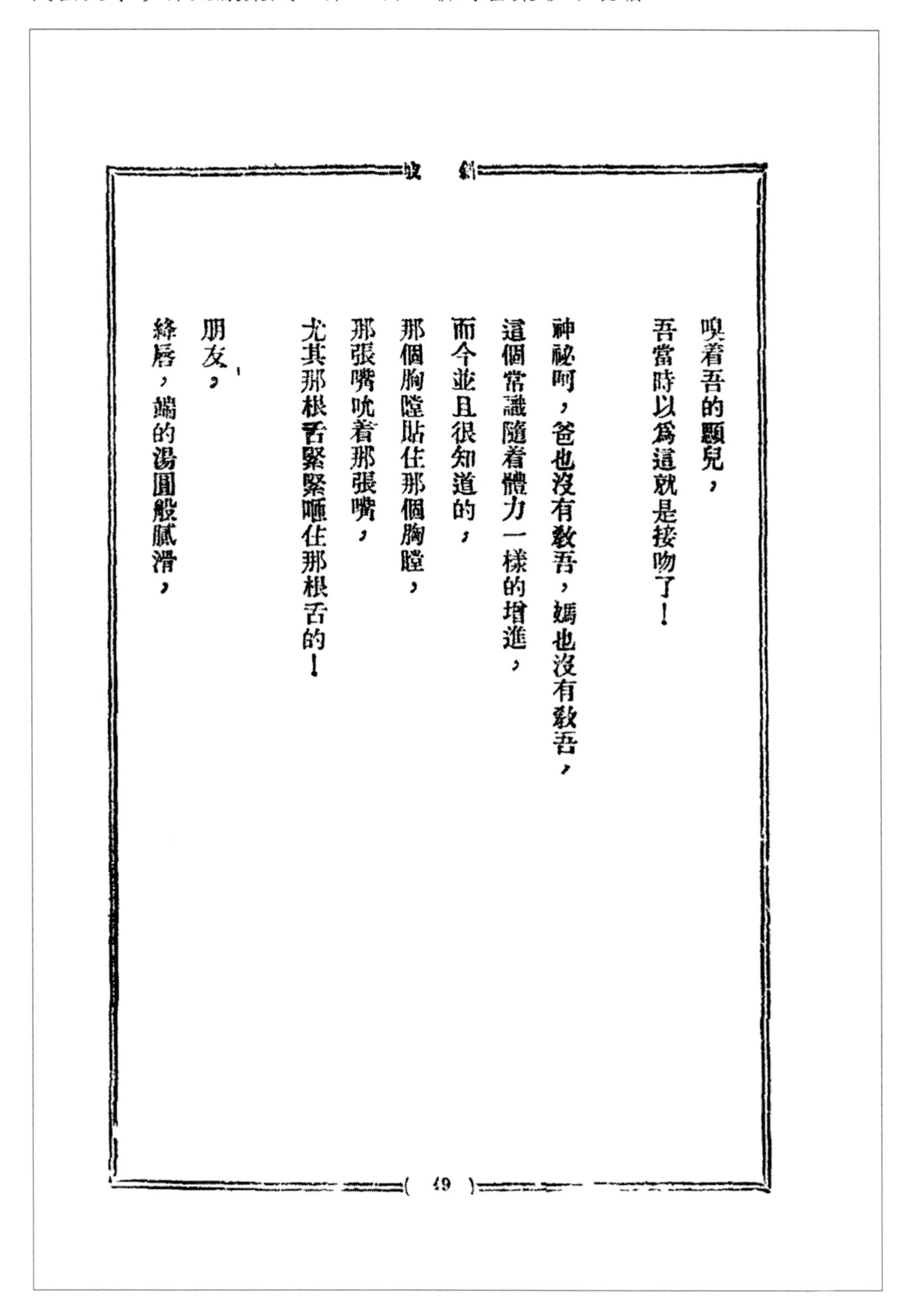

嗅着吾的顋兒，
吾當時以爲這就是接吻了！

神祕呵，爸也沒有教吾，媽也沒有教吾，
這個常識隨着體力一樣的增進，
而今並且很知道的，
那個胸膛貼住那個胸膛，
那張嘴吮着那張嘴，
尤其那根舌緊緊咂住那根舌的！

朋友，
絳唇，鍴的湯圓般膩滑，

牙齒，端的榴子般平細——
朋友，這是舌尖告訴吾的。

朋友，你覺得嗎？
這是潰川的決口，
怒流之所奔赴！
這是火山的噴口，
烈焰之所冒突！
呵，朋友，這的是真的人生——
比什麽都格外甜蜜，格外純潔！

十二年五月廿五日南海中，

熄燭以後

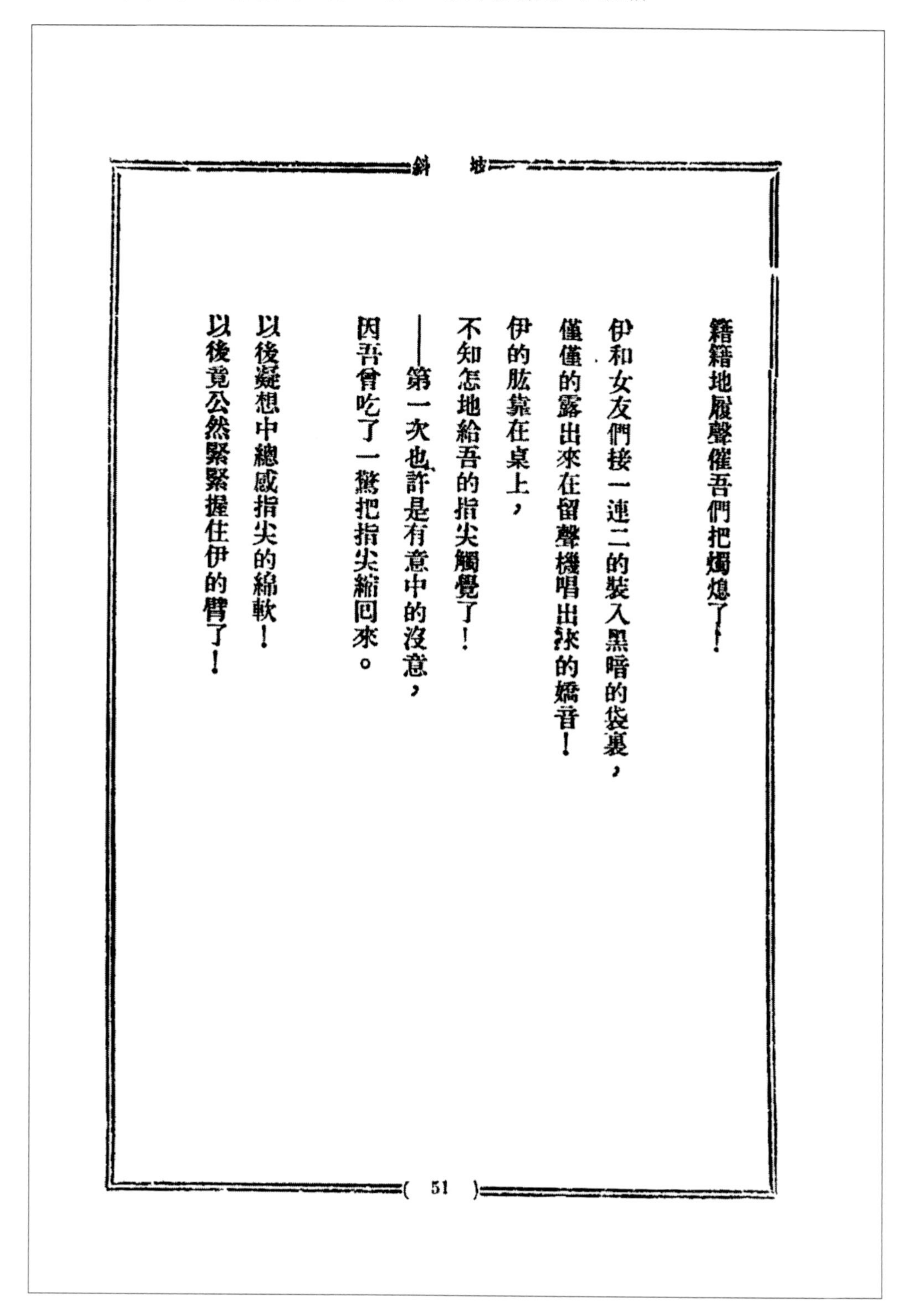

籍籍地履聲催吾們把燭熄了！
伊和女友們接一連三的裝入黑暗的袋裏，
僅僅的露出來在留聲機唱出來的嬌音！
伊的肱靠在桌上，
不知怎地給吾的指尖觸覺了！
——第一次也許是有意中的沒意，
因吾曾吃了一驚把指尖縮回來。
以後疑想中總感指尖的綿軟！
以後竟公然緊緊握住伊的臂了！

以後的以後，
誰也料不到吾這樣大胆，
滿望把伊摟在懷中！
怕呵！險給伊們女友知道了。

女友們泥吾講話，
吾懶孏地回答，
這回不敢擅動了！
雙手圈住伊的頸，
把額躺在伊的胸間睡覺！
胸間的墳起碰着吾的臉兒，

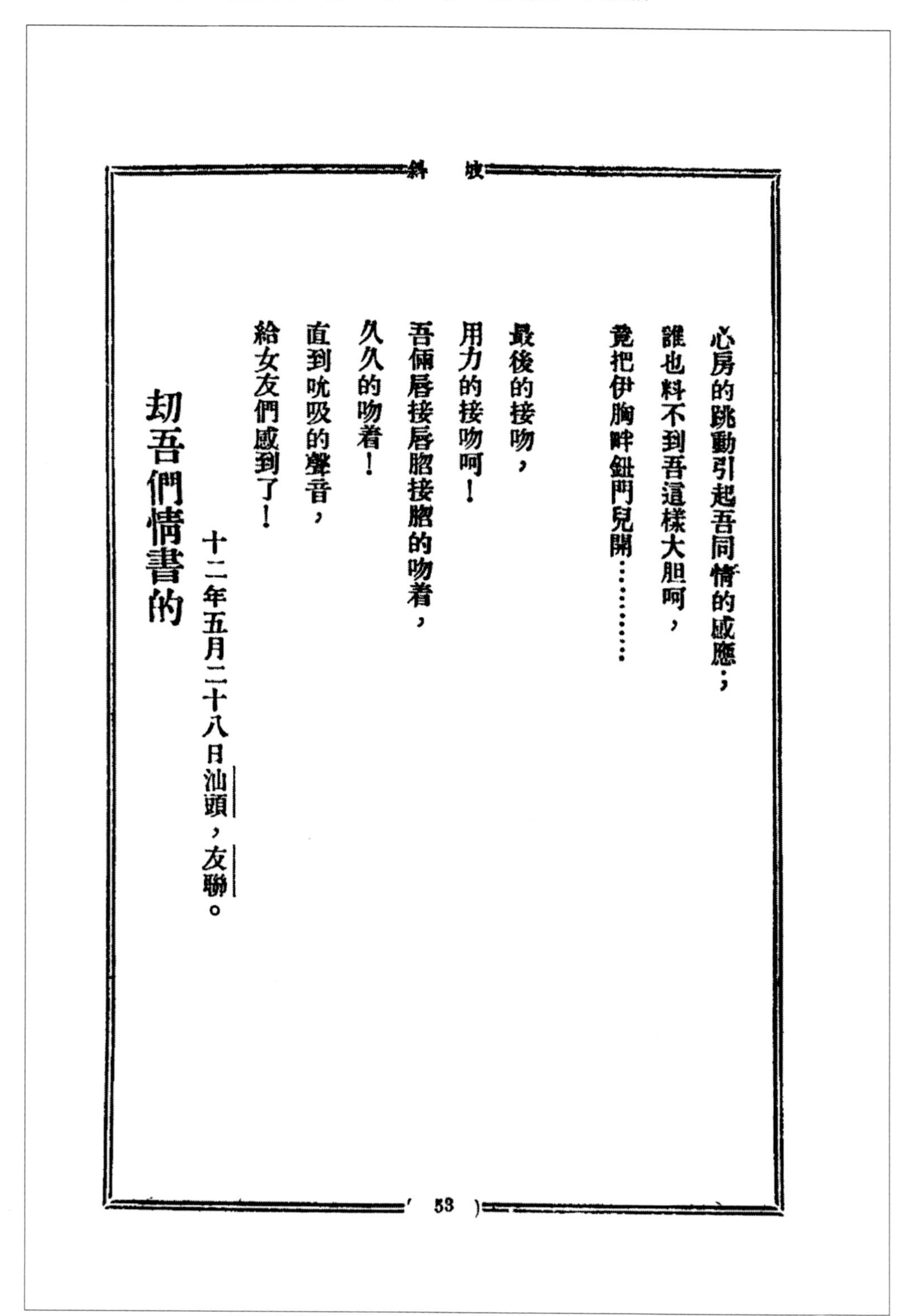

心房的跳動引起吾同情的感應；
誰也料不到吾這樣大胆呵，
竟把伊胸畔鈕門兒開…………

最後的接吻，
用力的接吻呵！
吾倆唇接唇脗接脗的吻着，
久久的吻着！
直到吮吸的聲音，
給女友們感到了！

十二年五月二十八日汕頭，友聯。

刧吾們情書的

啐！刼吾們情書的，
你們偷賤賊所不屑偷，
强摘了淚泉灌肥的愛果！

啐！刼吾們情書的，
你們初次戴上面具，
居然會摧殘弱者栽的愛苗了！

啐！刼吾們情書的，
你們一面推殘人家的戀愛，
一面去找人愛；
啐！你們這樣的愛人，

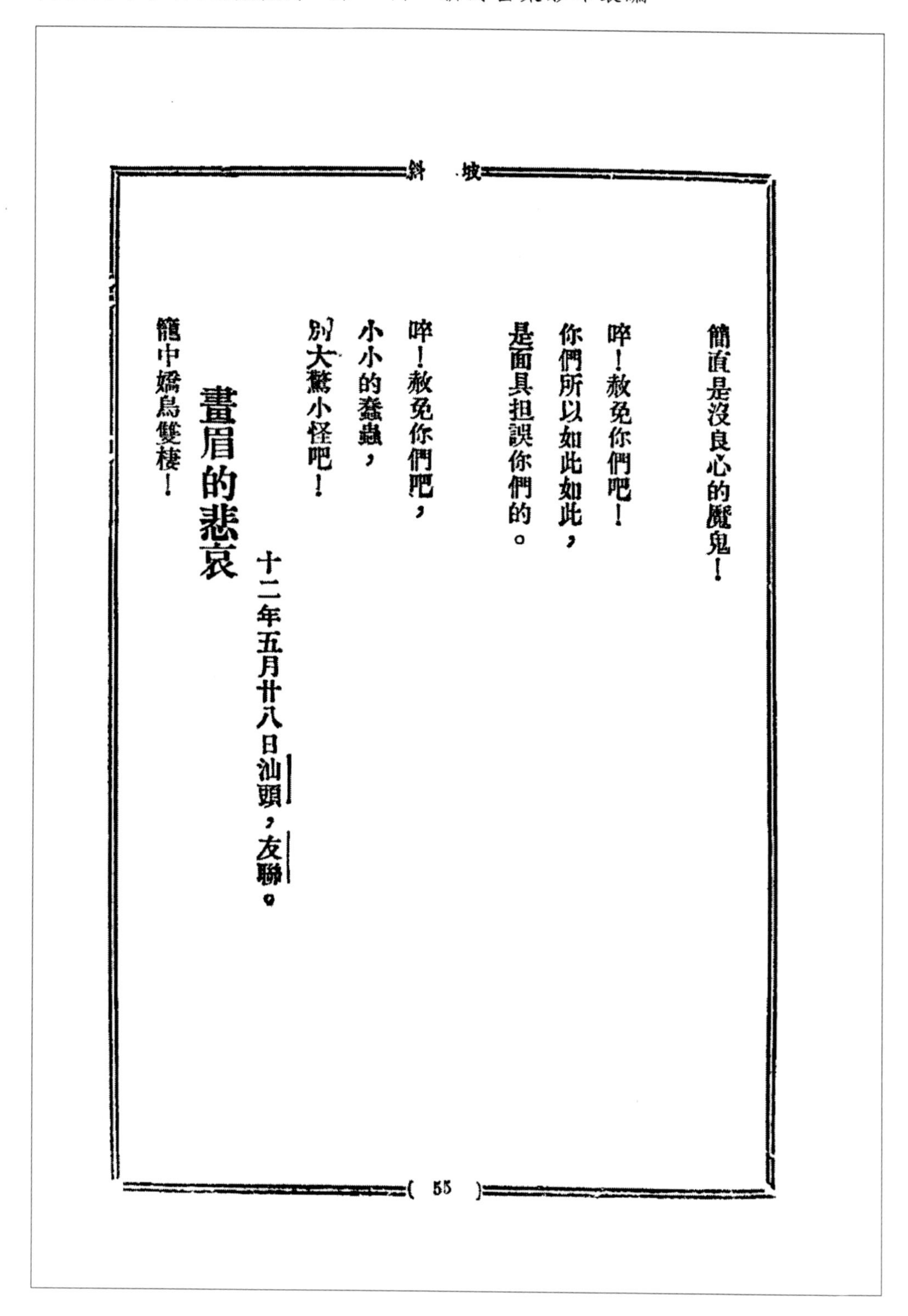

簡直是沒良心的魔鬼！

啐！赦免你們吧！
你們所以如此如此，
是面具担誤你們的。

啐！赦免你們吧，
小小的蠢蟲，
別大驚小怪吧！

十二年五月廿八日汕頭，友聯。

畫眉的悲哀

籠中嬌鳥雙棲！

籠中嬌鳥雙棲！
畫眉哥哥哭啼啼！
爲他籠外情妹白蛺蜨，
聲長聲短，
問他娶妻未，娶妻未？……

「這個畫眉娘子，
伊的家在不可知！
主人不管沒恩沒愛說說難投機，
硬硬關做一起！」

籠外粉蜨哭啼啼！

一聲長，一聲短，
問他娶妻未！
「哥呵，怎應呢？
黃蜂兒，馬蟻兒………
大家鬼頭鬼腦言三語四！」

「要怎樣答應呢？
要怎樣答應呢？
除非有人肯把籠兒燬了！」

十二年六月十四日華園

上帝給吾們的………

假使上帝創造人類時，

減造了這張嘴，
吾們倆的愛情老沉淪了！
當吾倆的心房跳動到極度時，
便嘴貼嘴地退熱！
——不對，吾那時恨不把嘴變大了，把伊的全體像含飴一般含在
嘴裏！
假使呵，上帝給了吾這張巨嘴吾早把愛情生啖了。
上帝呵，吾恨……
吾恨你又不給吾一個狠心；
吾每想把伊橡皮般柔軟的桃唇齦了下來，
偏又怕伊嬌顫顫的呼疼！

沒可如何，吾倆只得暫時鬆手，
鬆手的期間祗有喘息的期間呵！
假使呵，上帝沒有給吾們的嘴，
吾們倆的愛情早沉淪了！

十二年六月十六日

夢的勢力

社會不容吾們做的而又不容吾們想的
一一在夢中滿心快意表演了。
你記得嗎？夢的宇宙僅有吾們兩人，吾倆笑着捻着說：「
社會便有獵犬般嗅覺，
也難踪跡吾們這兒的公案。

吾們笑笑上帝只有棉花般力量，
僅僅的創造這個最下賤的世界，
他總想不到還有比這個更新鮮更甜蜜更沒牽掛的。

你記得嗎？吾倆笑着捻着說：
吾們願生生世世做夢裏或者像夢裏的…………

山上有花，
山上有樹，
山上有鳥：
這些話佢們聽到了，

佢們也跟着笑笑！
黃金嘴的小鳥振着紫金的小翼在唱歌，
你記得嗎？他唱吾們的戀歌，
他像吾們般快活，
他願生生世世做吾們夢裏的或者像夢的唱戀歌的鳥兒。

十二年六月廿四日

黃昏

暮鴉棲定了樓頭，
蝙蝠赶得蚊兒哭！
灰色把爸爸的蒼髯全都佔領了。
嚴厲的容顏，
漸漸現些慈祥的皺紋，

——兩年來才有的老的表象的皺紋。

他盤坐着抽煙，

眉頭的毫毛放的低低——

隔了一會，髣髴想着了似的，

驀地翻過臉來：

「黃昏了，

別回去吧，

才來一刻就要回去——

……………」

「爸爸……………

吾……………」

吾一壁廂想伴爸爸睡覺有什麼要緊。

一壁廂却想長得多高！究竟不好意思。
「爸爸，
吾——吾要冋去——」
隔了一會，爸爸才說，狠無力地說：
「好……………………………」

十二年六月廿五日

別後的心情

蛙兒肥大呵稻已花，
鷓鴣啼歇夕照斜！
伊人的家呵在海的灣灣，
叫伊伊不應呵我的家在山的深深——
伊的音書呵像淒迷的紅光西沉！

西沉的紅光還有明日呵，
伊的音書永遠，永遠…………

羔羊觫悚躅在慘淡的欄裏，
細鍊鎖在足上的鸚哥千般萬般的引起同情的誘惑，
終喚不醒呵他逃脫的痴夢！

十三年六月廿九日

伊的來信

吾不能如月亮乘夜入伊的家，
吾又不能變隻鳥兒在伊牆頭叫喚，
伊的郡里不許有吾的足印了。

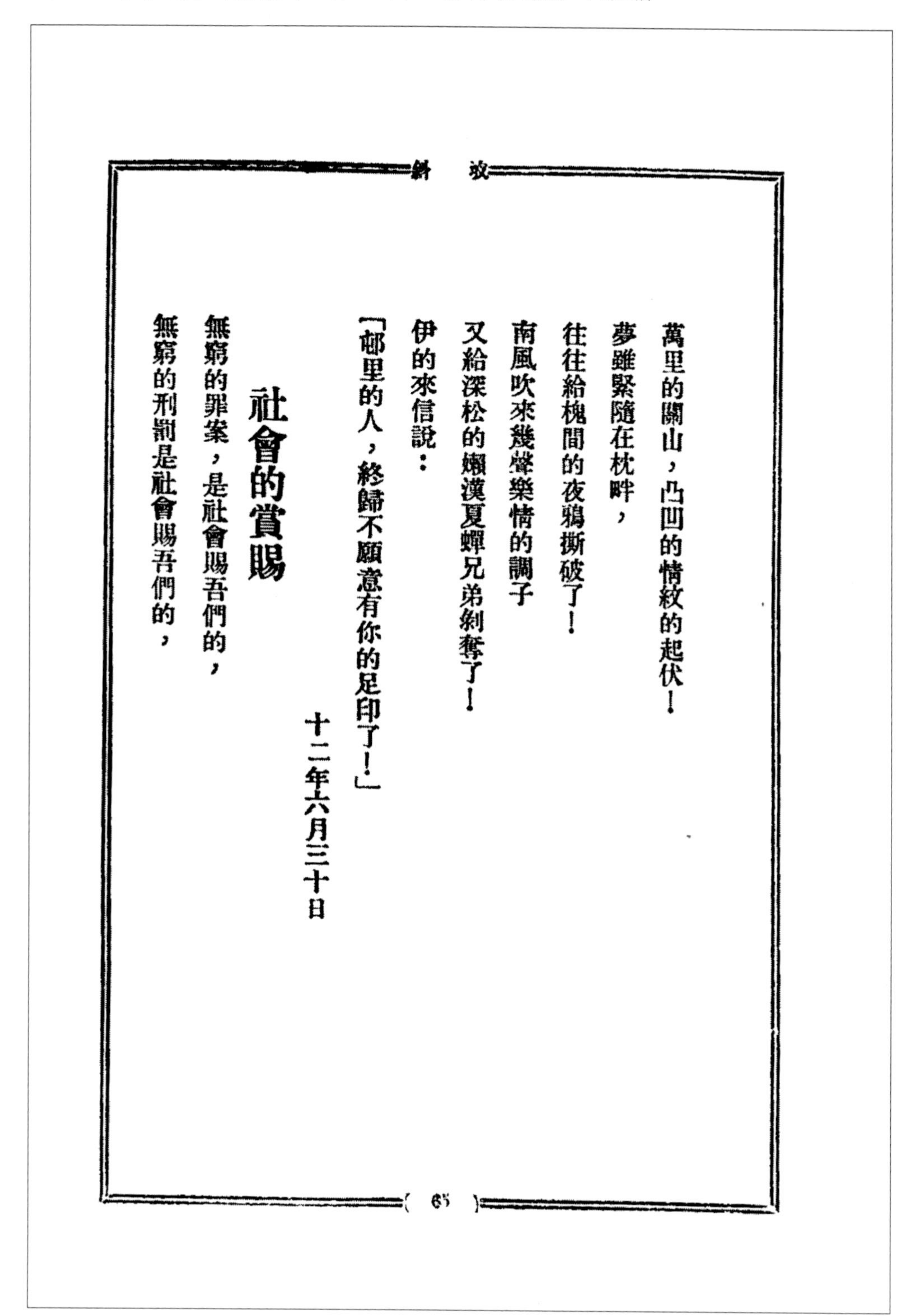

萬里的關山，凸凹的情紋的起伏！
夢雖緊隨在枕畔，
往往給槐間的夜鴉撕破了！
南風吹來幾聲樂情的調子
又給深松的嬾漢夏蟬兄弟剝奪了！
伊的來信說：
「郇里的人，終歸不願意有你的足印了！」

十二年六月三十日

社會的賞賜

無窮的罪案，是社會賜吾們的，
無窮的刑罰是社會賜吾們的，

吾們要上光明之路，
社會迫俺暗中摸索！
若要表白這個寃情啊，
除非他們夜間都夢見佛爺告訴他吾倆的心是聖潔的

沒有情理可譬喻的，
除非上帝夜間放火
迫他們說火便是吾們的心，
他們怕延燒當時或者就承認了。

十二年六月三十一日

愛的墳塋

吾們相信宇宙間唯有友情乃是眞的愛，

吾們相信真的愛是良心的背象並沒有道德的藩籬！
吾們甯不知墳塋是人生的末路，
吾們相信性是愛的墳塋！
愛人呵，吾們儘管抱着，吻着……
愛的周身只不許有傷痕罷。

十二年七月一日

紅氈

夜夜摟抱的紅氈今晚把伊拋了——拋在脚尾。
看起來又是可憐，一會兒仍舊不忍地擁在懷中。
本來沒有什麼輕薄，狎褻，
誰料人們早在廣庭中咒罵了。

十二年七月二日

衫兒

衫兒，你曾跟吾飽嘗夜的滋味，
帽兒，你曾爲吾擋住月光，露水！
鞋兒，你曾踏破一個攔路的玻璃瓶嚇得人膽碎！
穀嗎呢，帶吾重入那個夢里！

狗的吠聲那樣怕人，
何況又自那夜淅瀝淅瀝的殘雨！
把帳兒掀開來，
空階的濕月昏鄧鄧充滿那夜的情致。

三晚枕上

月光射入伊的房

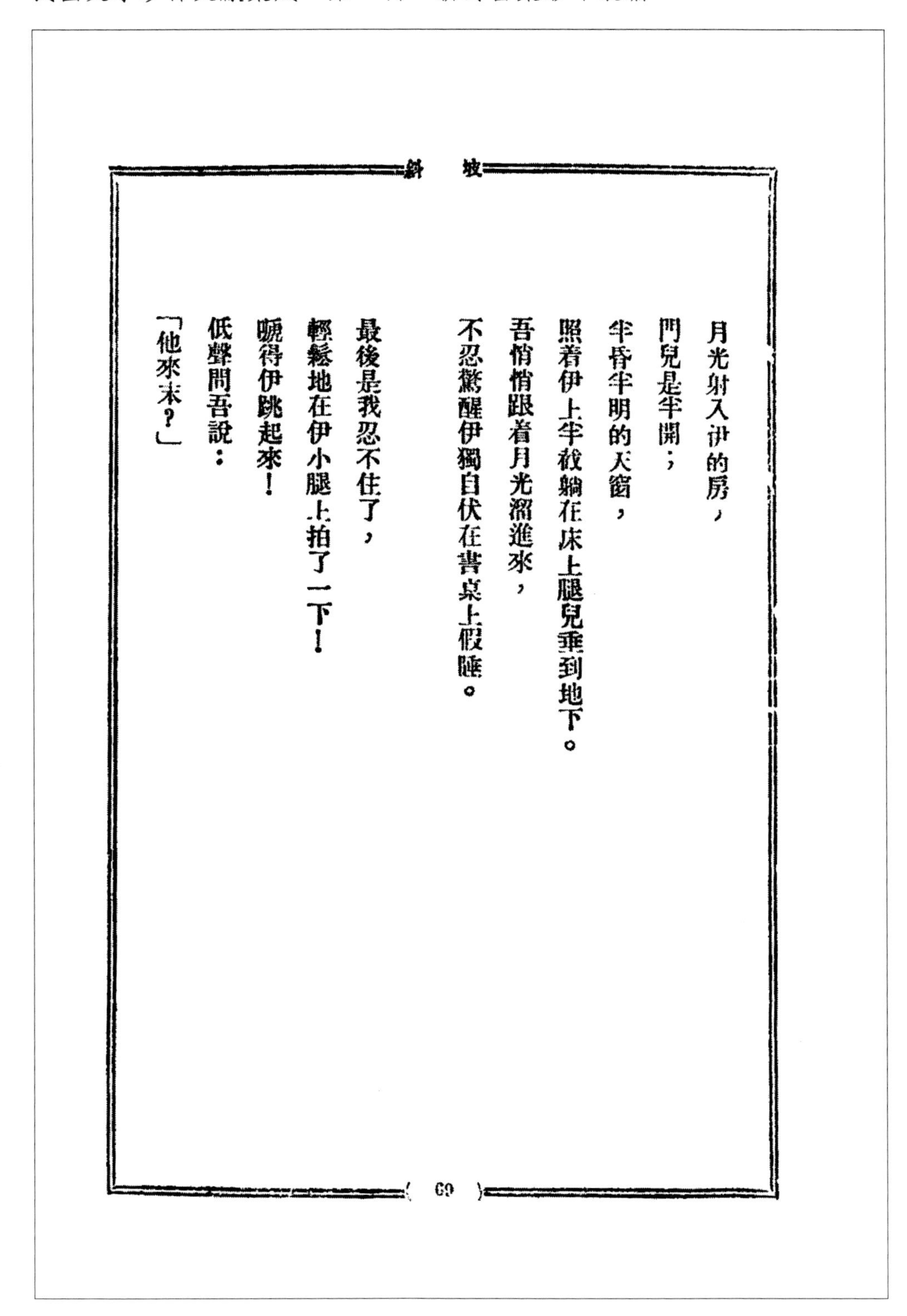

斜坡

月光射入伊的房，
門兒是半開；
半昏半明的天窗，
照着伊上半截躺在床上腿兒垂到地下。
吾悄悄跟着月光溜進來，
不忍驚醒伊獨自伏在書桌上假睡。

最後是我忍不住了，
輕鬆地在伊小腿上拍了一下！
唬得伊跳起來！
低聲問吾說：
「他來末？」

(60)

不由吾蚩的笑了！

答案

吾問塚邊的翁仲，
吾的情人戀吾如何世人不肯？
他愕怔怔答吾以沉默！

吾問雙雙的海鷗，
吾的情人吻吾有什麼不道德？
他誤會要有他倆那般蠢事，
因此，打個翻身就沉沒了！

十二年七月四日

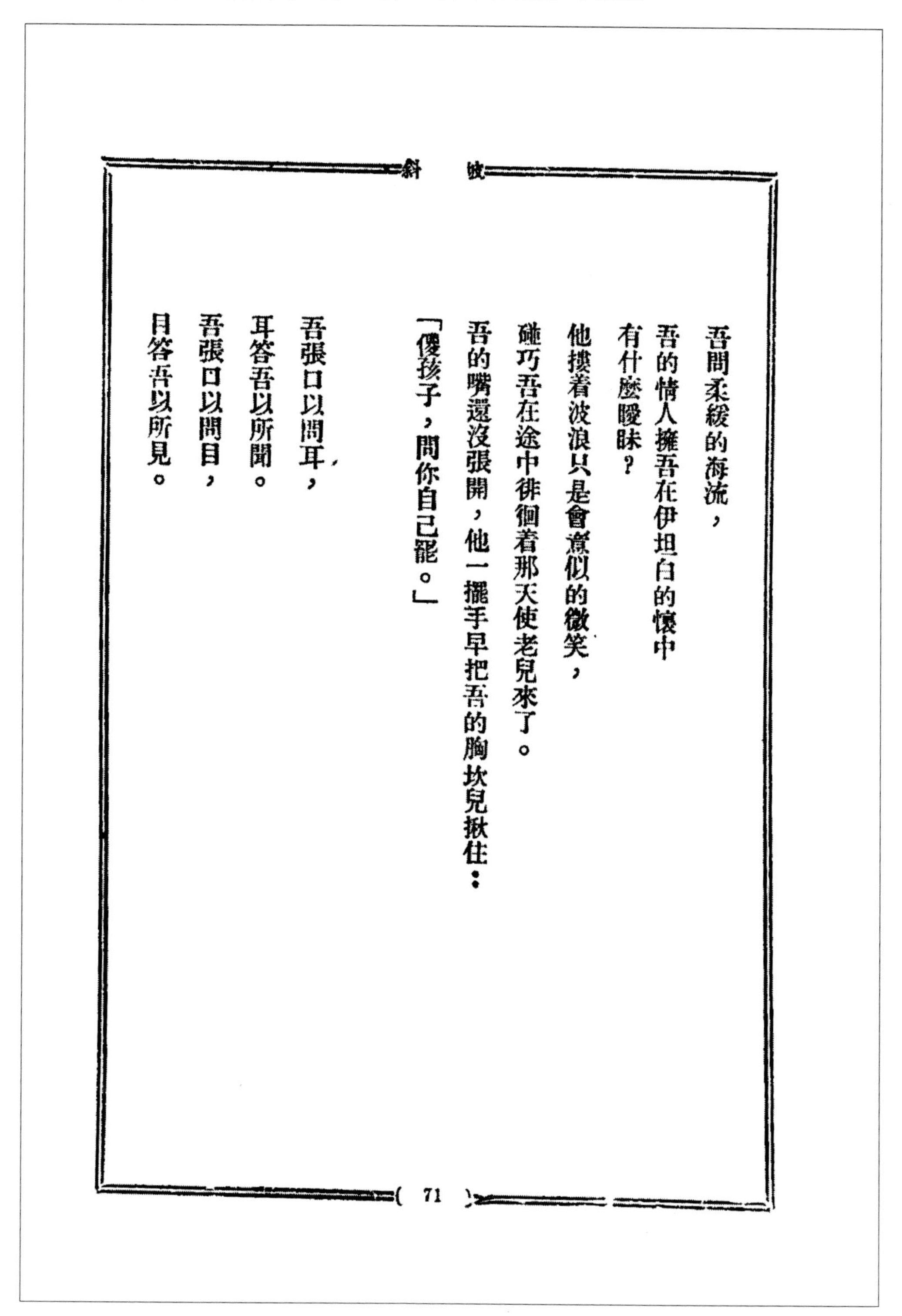

吾問柔緩的海流，
吾的情人擁吾在伊坦白的懷中
有什麼曖昧？
他摸着波浪只是會意似的微笑，
碰巧吾在途中徘徊着那天使老兒來了。
吾的嘴還沒張開，他一擺手早把吾的胸坎兒揪住：
「傻孩子，問你自己罷。」

吾張口以問耳，
耳答吾以所聞。
吾張口以問目，
目答吾以所見。

吾張口以問鼻，
鼻答吾以所嗅。
但却不是那些答案。

吾一壁哭着詈着，一壁又在徘徊。
碰巧那老兒又來了！
熱淚充滿了眼眶還沒晌見，
他一擺手又把胸口揪住說：
「傻孩子，吾是說你須捫着良心！」

十二年七月六日

斷了源泉時

假若就是你的柔情像那板橋下活活的清流，

他也是去的雖去，來的儘來的。
吾決自信不能夠像那綣綣結結的炊煙，
一出了煙突就跟着白雲兒跑了。

假若就是——你的柔情竟像那斷了源泉的水流，
吾也不願像那斷了源泉的水流那般忍心和他的慈母源泉決絕！

十二年七月七日

晚眺

景色淒迷，
晚風吹的葉尖兒搖曳！
人倚在槎枒沉思！
還不曾驚動樹梢杜宇。

肯邪把這個景色裝入夢裏？
肯邪把吾和伊點綴那個夢裏？

十二年七月七日

雜憶

腦中的音容，
慢吞吞模糊下去，
好容易在夢中重新記牢。

俺的指頭廝捺着，臉兒廝磨着，眼兒廝瞅着，噤着……
臨別那夜的情況
猶歷歷在吾的心目中。

孤獨

悠遠的官道蜿蜒至於無終，
可憐俺獨自踽踽無伴！
俺從前也有路般長情，
而今看看不能打算想了！

十二年七月八日

粉蝶雖有霜雪般軀體俺一點也不羨慕，
杜鵑花端的滿腔熱血，
可是伊的頸扭向自己的身軀，
伊一點也不睬人——一點也不願人加以青眼。

十二年七月十六日

被傷害時

黑魆魆夜裏，
不幸被傷害了，
誰憐吾們無辜呢！
雪白的刀鋒焉能體貼雪白的心，
何況社會的舌鋒比蜂刺還毒！
不須辯白罷，
瞑着目，緊緊偎抱着，
他們要戳幾槍，就戳幾槍罷！

十二年七月十七日

二妹的別離書後

年來頰際微暈漸褪，

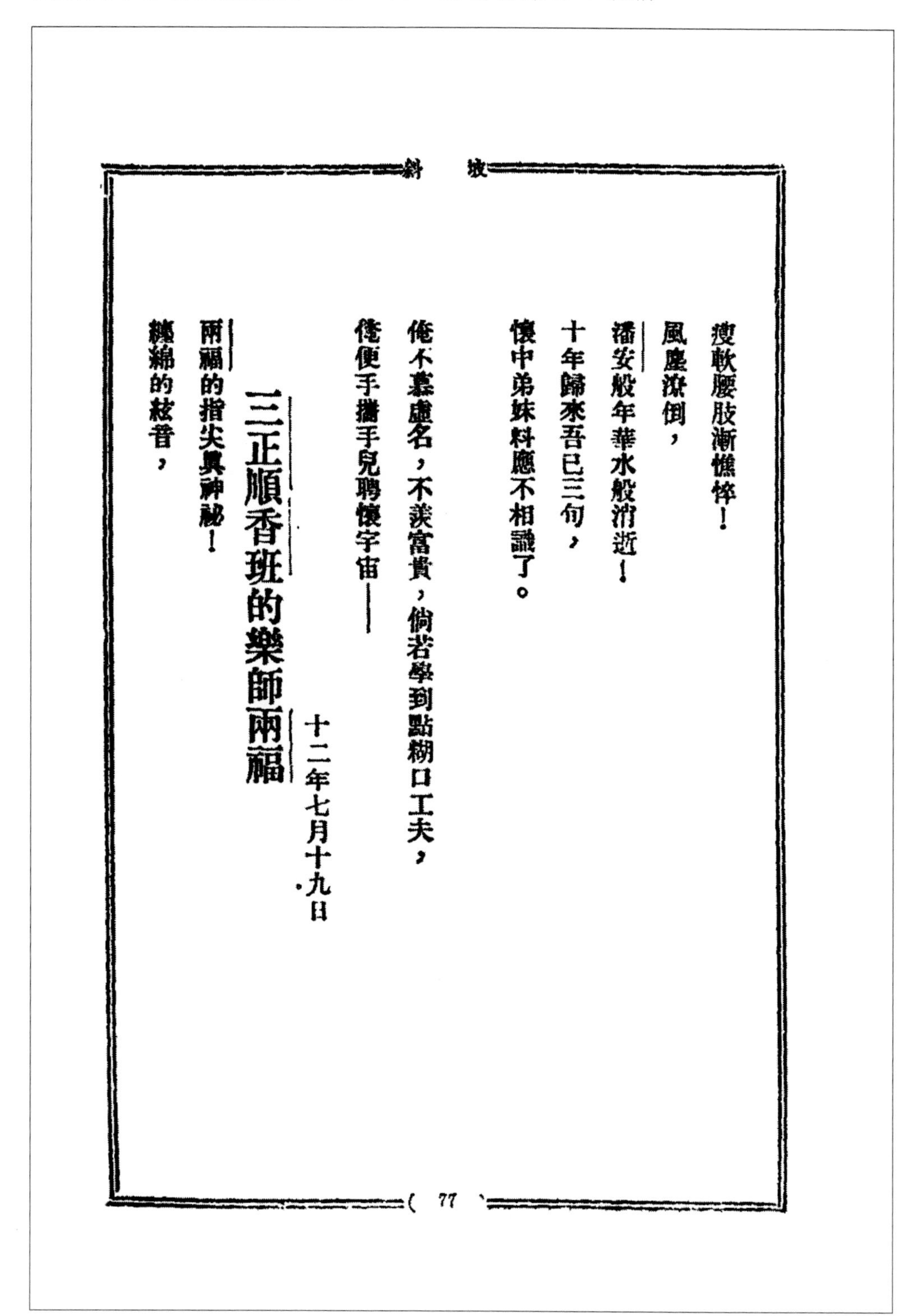

瘦軟腰肢漸憔悴！
風塵潦倒，
潘安般年華水般消逝！
十年歸來吾已三旬，
懷中弟妹料應不相識了。

俺不慕虛名，不羨富貴，倘若學到點糊口工夫，
俺便手攜手兒聘懷宇宙——

十二年七月十九日

三正順香班的樂師兩福

兩福的指尖真神祕！
纏綿的絃音，

斜　坡

他囟個訣兒搓成一條漫漫的長路！
長路漫漫就如彩虹跨過太空！

絃音的尖端緊着一把箭，
那把箭把吾的心兒射穿
穿針似的把路兒線兒從心腔兒引過。

設使吾轂在路上行，
——吾而今可行到中途了。
這又不是路，
一條狠長狠長的素帶
纏，纏住，不可算萬周的纏住吾的周身。

(78)

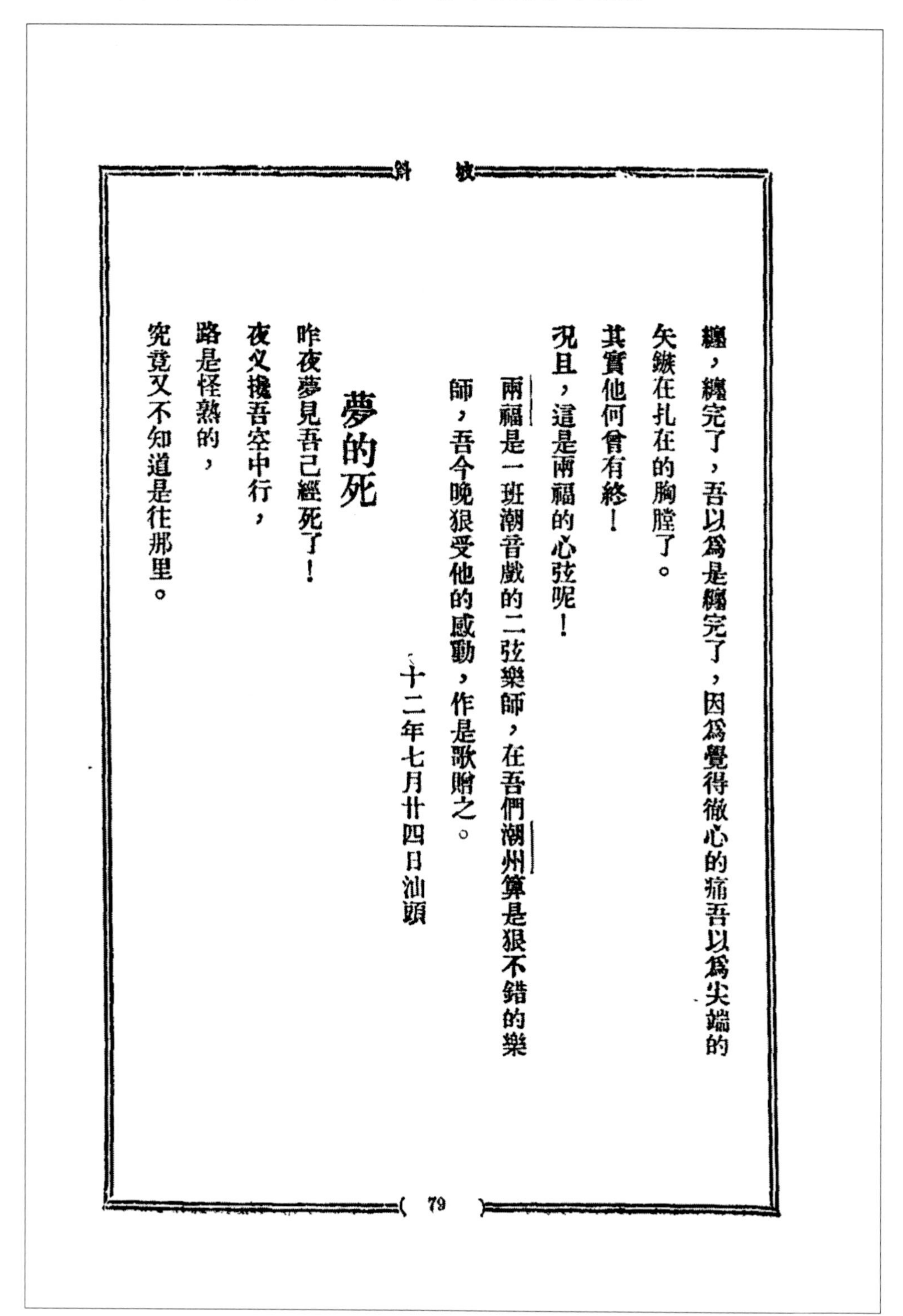

纏，纏完了，吾以爲是纏完了，因爲覺得徹心的痛吾以爲尖端的
矢鏃在扎在的胸膛了。
其實他何曾有終！
况且，這是兩福的心弦呢！

兩福是一班潮音戲的二弦樂師，在吾們潮州算是狠不錯的樂
師，吾今晚狠受他的感動，作是歌贈之。

十二年七月廿四日汕頭

夢的死

昨夜夢見吾已經死了！
夜又攙吾空中行，
路是怪熟的，
究竟又不知道是往那里。

過了一派歌絃聒耳的人家，
他竟把吾丟了。
吾棉花般頹然跌在一家的屋頂也不覺怎麼痛。
屋頂有一個三寸來長寸來闊的天窗，
吾往下看時，
室中坐着一位艷妝的新嫁娘，
纖手支在頤上，
一堆信稿亂攤在桌上，
襟上的紅玫瑰花撕碎鋪在地上，
紅燭全沒心緒倚在一邊垂淚！
伊，怪面善的，
究竟又想不到是那個。

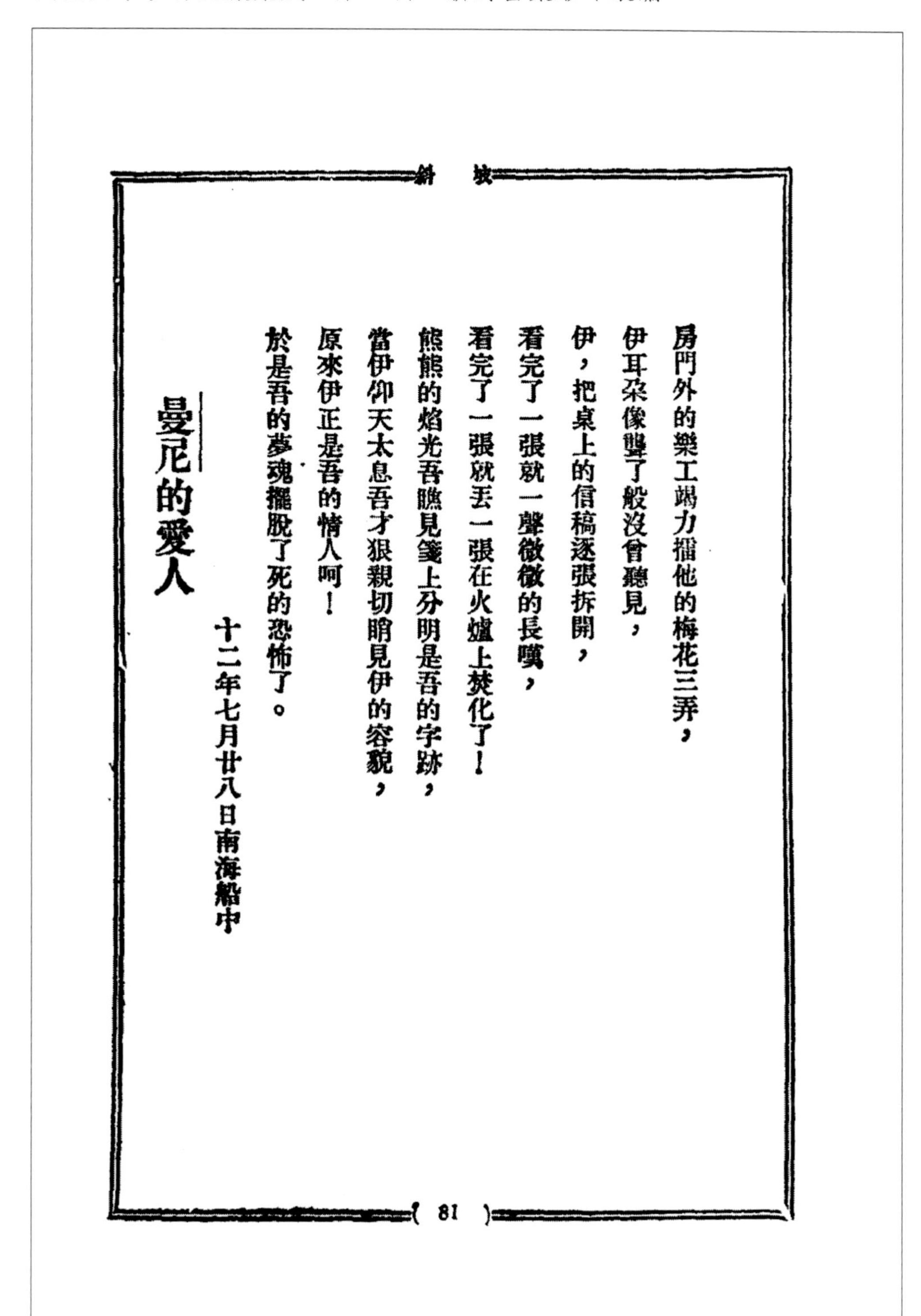

房門外的樂工竭力擂他的梅花三弄，
伊耳朶像聾了般沒曾聽見，
伊，把桌上的信稿逐張拆開，
看完了一張就一聲微微的長嘆，
看完了一張就丟一張在火爐上焚化了！
熊熊的焰光吾瞧見箋上分明是吾的字跡，
當伊仰天太息吾才狠親切瞻見伊的容貌，
原來伊正是吾的情人呵！
於是吾的夢魂擺脫了死的恐怖了。

十二年七月廿八日南海船中

曼尼的愛人

曼尼的愛人是一位天眞彌漫的憨女孩，
伊不太解的愛；
——曼尼正愛其不太解愛！
理解的愛個中完全機械！

十二年七月廿九日廈門

吾們的相悅

吾們的相悅初期用各人的容顏，
吾愛伊的龐兒像月般圓圓，
那時俺也有柔絲般鬆髮，剪水般雙瞳……

吾們的相悅中程用同樣的心胸，
吾們夢想中互相傾慕着。

以後吾們便相見了。
那期間，吾們用口敘述吾們的心情，
有時吾們竟會意地沉默着。

吾們的相悅，
吾們願變做一對小小的孩童，
吾們要吻，就可不經意地吻着。
吾們要抱，就可不經意地互相偎抱着。
吾們要笑，就可不經意地笑笑。
吾們要哭，就可不經意地慟哭。
吾們願做盡小小的孩童應該做的勾當。

十二年七月廿九日

是伊說的了

是的了，是雨兒說的了！
月兒剛斜着眼睛瞟進來，
吾們就吃驚把門閂了；
吾們怕伊伏在門的鑰眼窺探還搓團紙團塞住了。

是的了，是雨兒說的了！
壁虎剛昂頭在瞥眼吾們把他趕跑了，
油蚰的長鬚剛搖呀搖的扎出洞口，
吾們劃條火柴燒他帶傷逃亡了。
老鼠實在曾在樑間過來過去，
吾們當初疑心是他跑過隔樓去告訴他老主人，

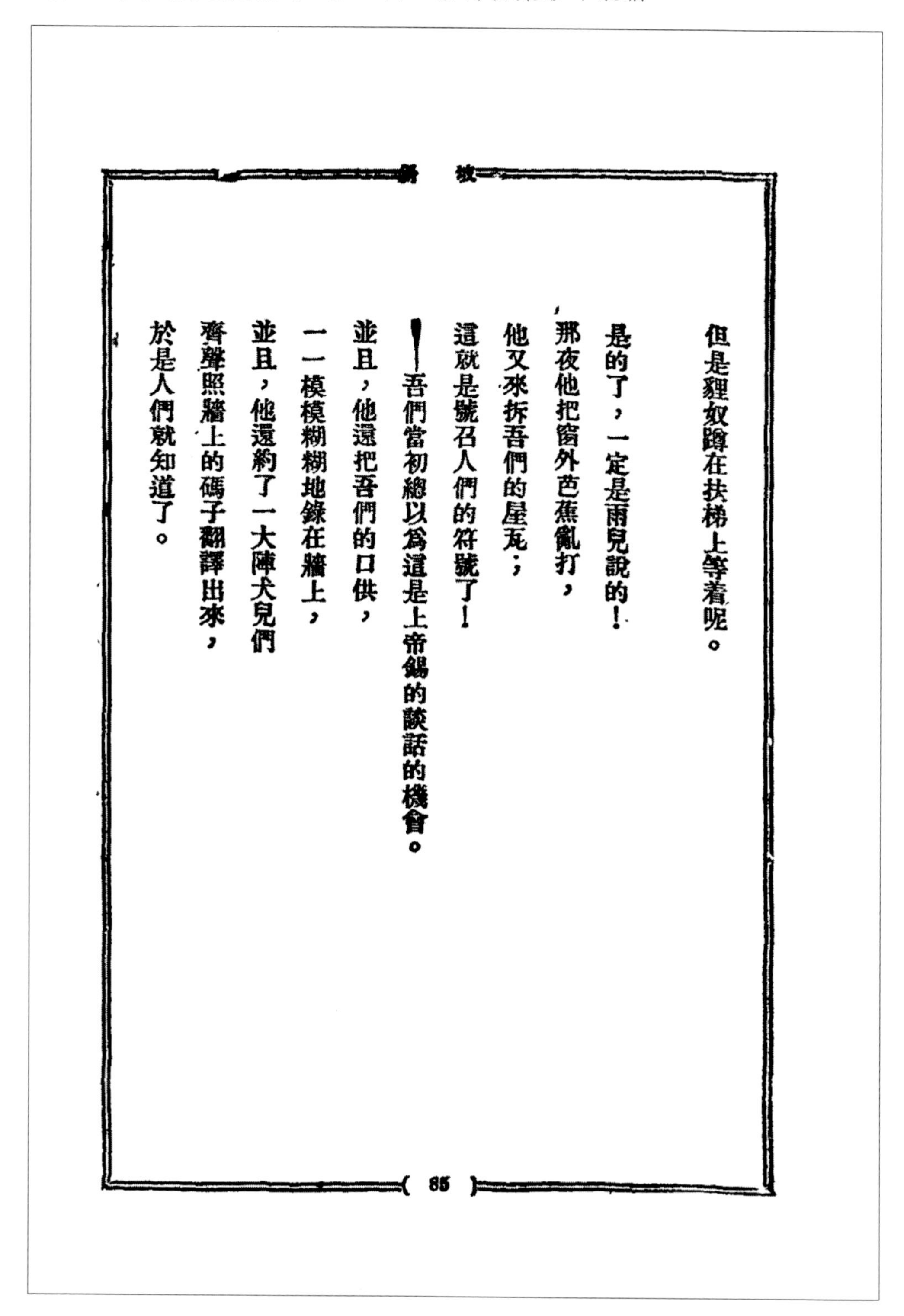

但是貍奴蹲在扶梯上等着呢。

是的了，一定是雨兒說的！
那夜他把窗外芭蕉亂打，
他又來拆吾們的屋瓦；
這就是號召人們的符號了！
——吾們當初總以為這是上帝錫的談話的機會。
並且，他還把吾們的口供，
一一模模糊糊地錄在牆上，
並且，他還約了一大陣犬兒們
齊聲照牆上的碼子翻譯出來，
於是人們就知道了。

是的了，是他約他們吠出來的，
他明知犬的吠聲祇有社會們能聽。
乖呵，吾們竟被他瞞住了！
醜呵，偌大的美麗的情案
乃教又下等又卑賤的潑犬唱出來！

十二年七月三十一日廈門

野合

吾現在明白犬兒們在康衢中野合的原因了，
他們就是掩着門講講究究的
人們也猜是那一回事。

十二年七月三十一日廈門

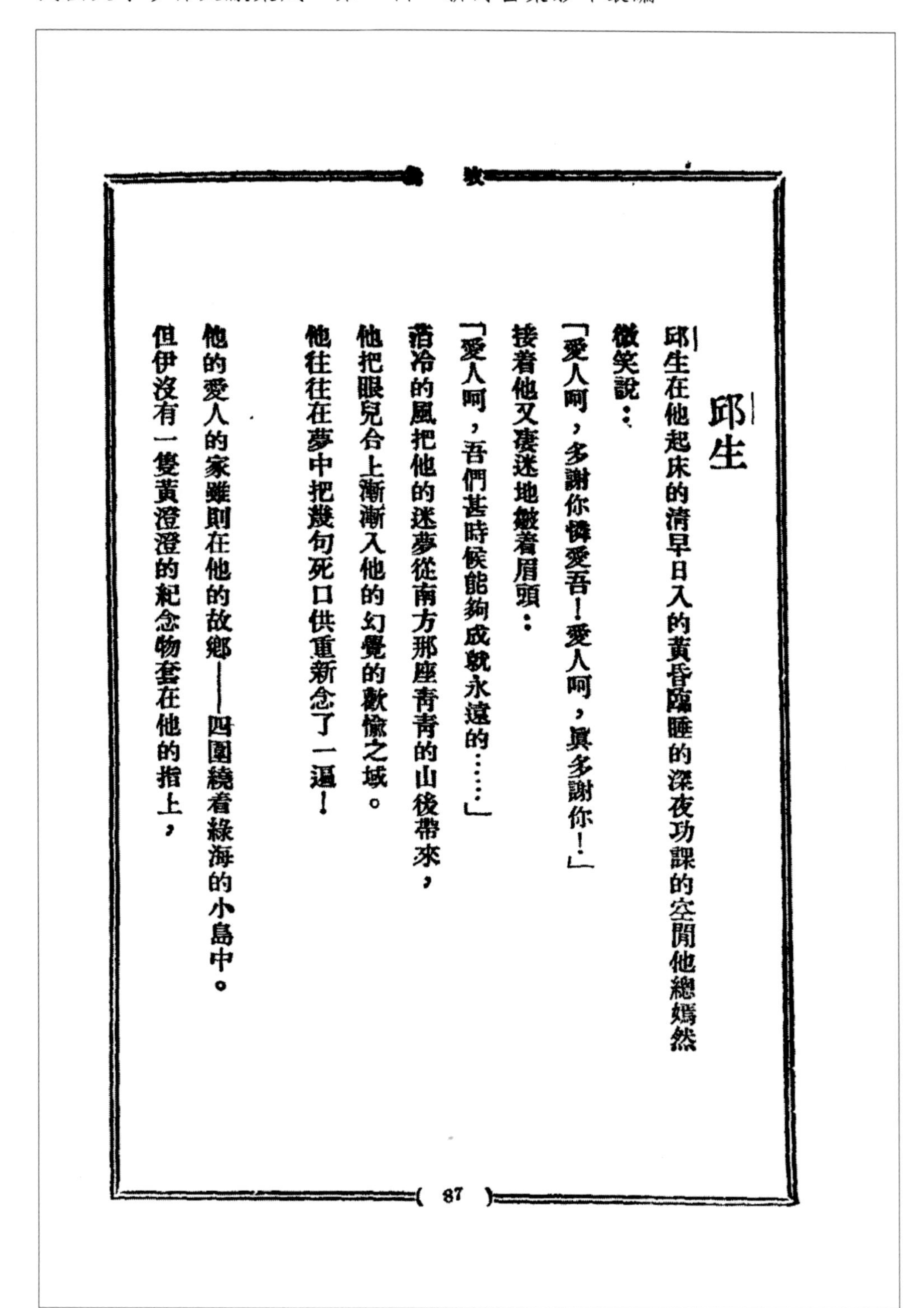

邱生

邱生在他起床的清早日入的黃昏臨睡的深夜功課的空閒他總嫣然微笑說：

「愛人呵，多謝你憐愛吾！愛人呵，眞多謝你！」

接着他又淒迷地皺着眉頭：

「愛人呵，吾們甚時候能夠成就永遠的……」

淸冷的風把他的迷夢從南方那座靑靑的山後帶來，

他把眼兒合上漸漸入他的幻覺的歡愉之域。

他往往在夢中把幾句死口供重新念了一遍！

他的愛人的家雖則在他的故鄉——四圍繞着綠海的小島中。

但伊沒有一隻黃澄澄的紀念物套在他的指上，

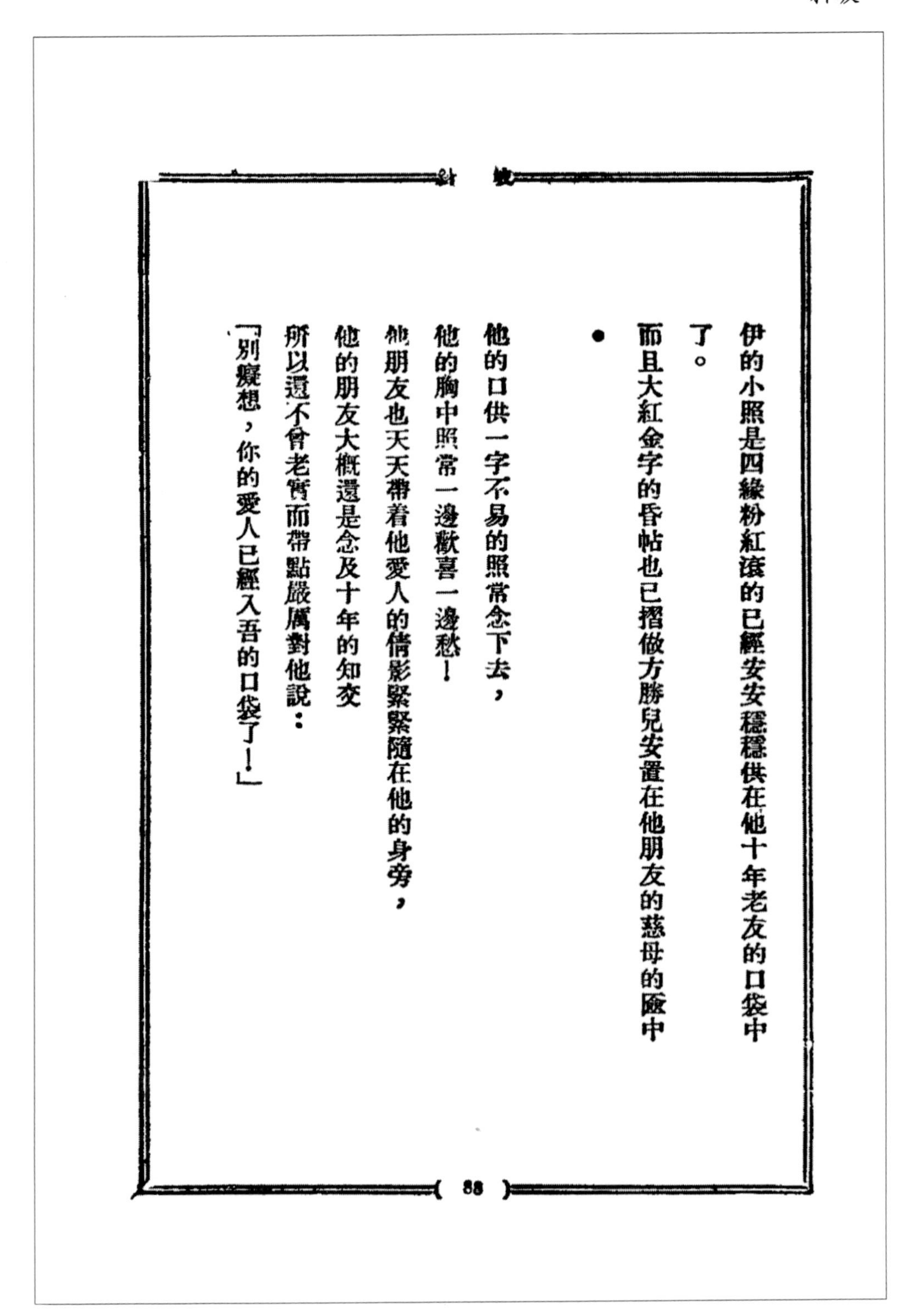

斜　坡

伊的小照是四緣粉紅滾的已經安安穩穩供在他十年老友的口袋中了。

而且大紅金字的香帖也已摺做方勝兒安置在他朋友的慈母的匳中

●

他的口供一字不易的照常念下去，

他的胸中照常一邊歡喜一邊愁！

他朋友也天天帶着他愛人的倩影緊緊隨在他的身旁，

他的朋友大概還是念及十年的知交

所以還不曾老實而帶點嚴厲對他說：

「別癡想，你的愛人已經入吾的口袋了！」

88

伊久久沒有信給他，他給伊的信就如石沉巨海！
最後伊來一封信說：
「丈夫何患無妻！
丈夫當以功名爲念……」
他讀了狂喜，以爲伊是勉勵他。

從此以後，他永遠得不到伊隻字了，
他疑心似的寫信去質問別的好友，
他所寄的信一例像斷了線的風箏——
但他的死的口供是照常念着而又爛熟得多了。
幸虧他的朋友還算始終體貼舊情不曾嘲笑他，
他也終不曾打算夢想到他足足十年的老友肯奪他的心肝和他愛人

肯忍心跟了別人！

石榴花落那一夜，
他還高興地喝酒；
他喝得陶醉了，
他別一個朋友竟忍心孟浪地告訴他，
相隔不久，他別的朋友的囘訊也告訴他，
於是他的希望就如辭枝的榴花，
撲漉墜落到底！

十二年七月三十一日廈門

瘋情

吾現在眠食失時了，

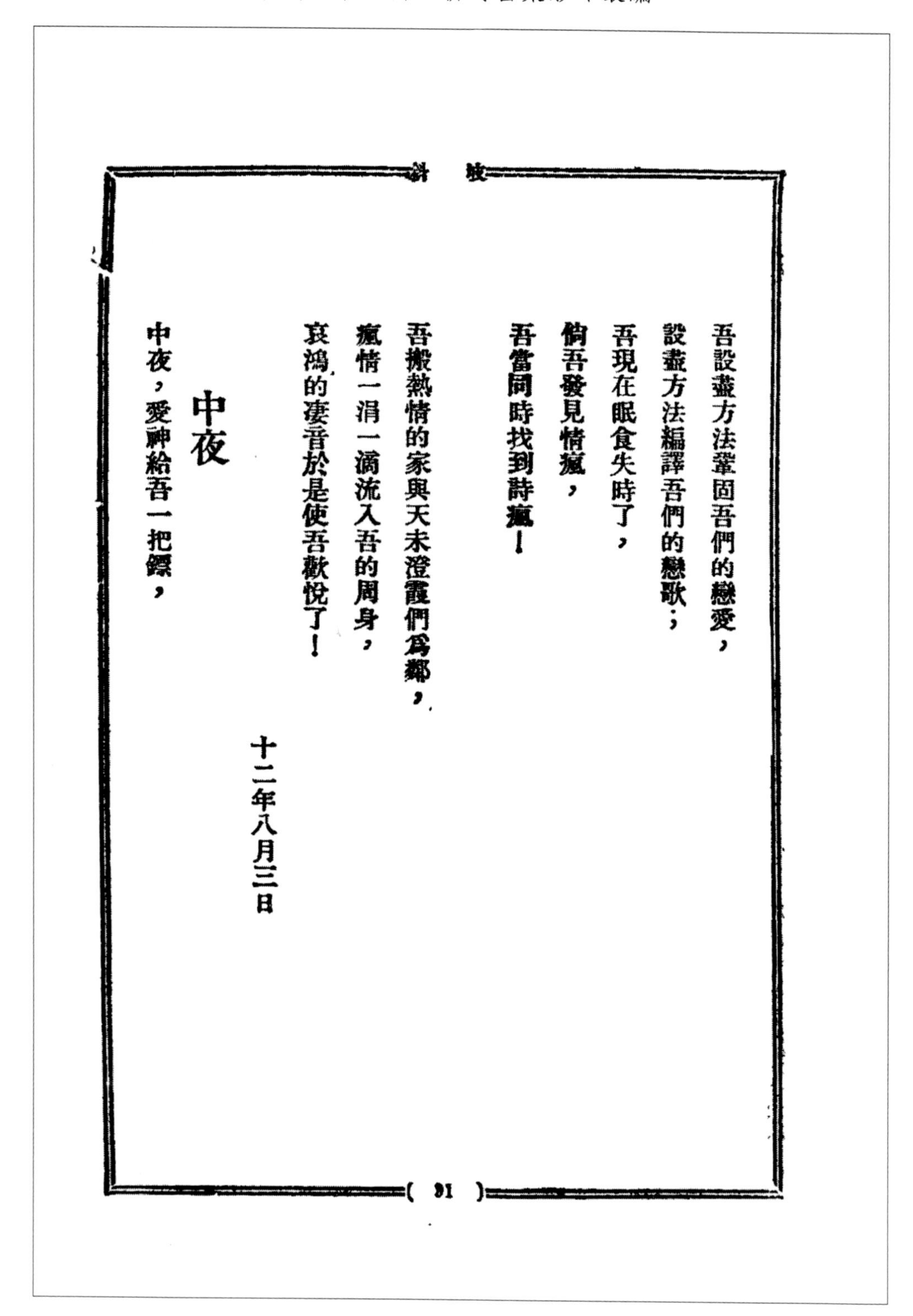

吾設盡方法鞏固吾們的戀愛，
設盡方法編譯吾們的戀歌；
吾現在眠食失時了，
倘吾發見情瘋，
吾當同時找到詩瘋！

吾搬熱情的家與天末澄霞們爲鄰，
瘋情一涓一滴流入吾的周身，
哀鴻的淒音於是使吾歡悅了！

十二年八月三日

中夜

中夜，愛神給吾一把鏢，

強吾把伊謀斃了；
他唱着口會說：
「乳峯的中間，鏢進去！」
酥嫩的雪膚刻着殷殷的斑紋時、
迷茫中吾定知道有個狠難看的窟窿兒，
所以吾不——
吾願相繫着褌帶兒，
相摟相抱跳入平穩的綠水！
忐忐忑忑心兒這樣對他說了：
「呵，愛神呵，

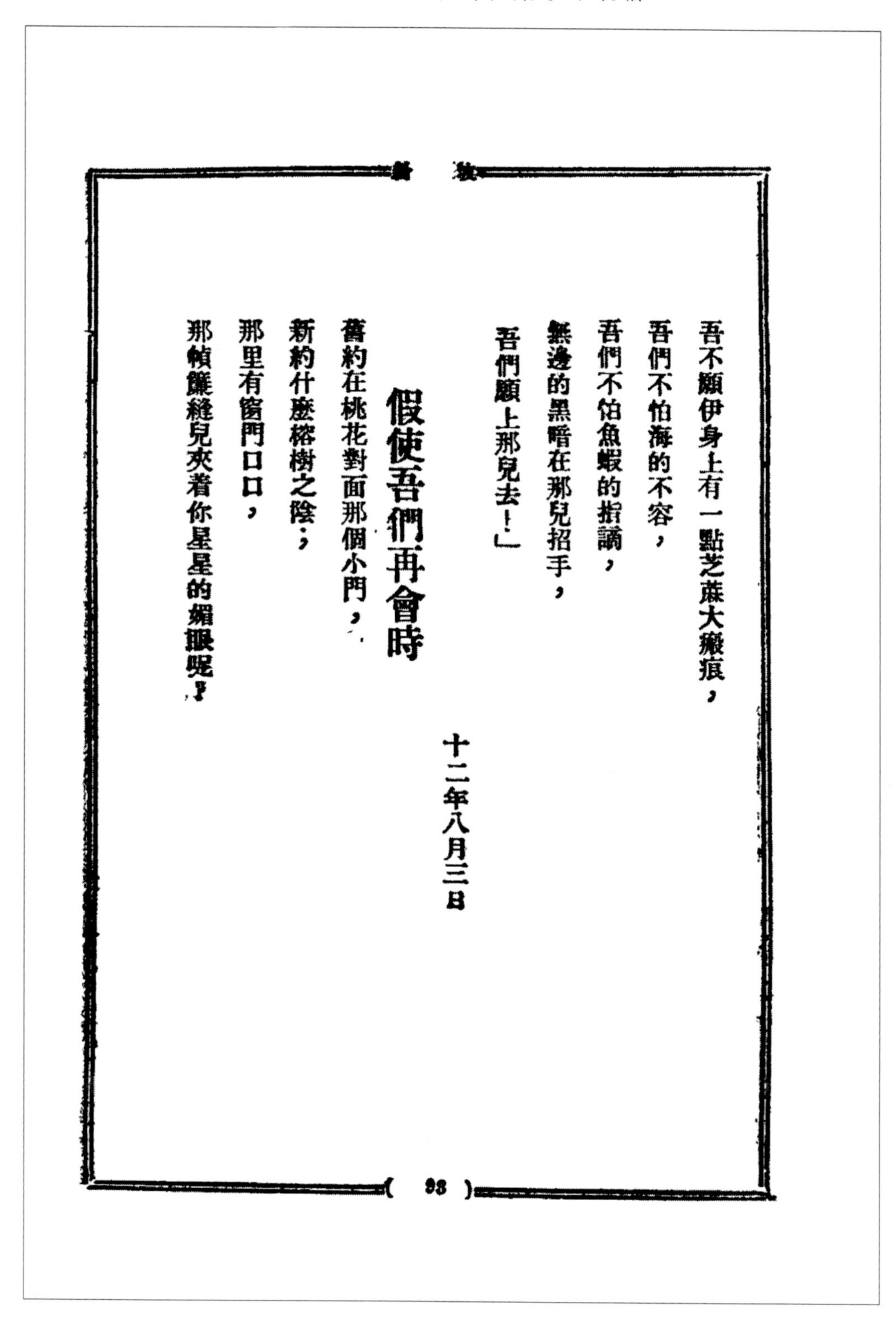

吾不願伊身上有一點芝麻大瘢痕，
吾們不怕海的不容，
吾們不怕魚蝦的指謫，
無邊的黑暗在那兒招手，
吾們願上那兒去！」

十二年八月三日

假使吾們再會時

舊約在桃花對面那個小門，
新約什麼榕樹之陰；
那里有窗門口口，
那幀簾縫兒夾着你星星的媚眼兒？

犬兒呵，願你牢牢記住吾是一位熟客，
上帝呵，願你編個咒兒把人們的眼兒謳花了；
假使吾們再會時，
吾們一齊跪在房中這樣禱祝了。

十二年八月五日集廈船中

愛的控訴

黑的黑的髮兒，
胡爲邪心緒悶亂？
黑的黑的睛兒，
胡爲邪淚帷深鎖？
黑的黑的腱兒，
你的句逗兒，

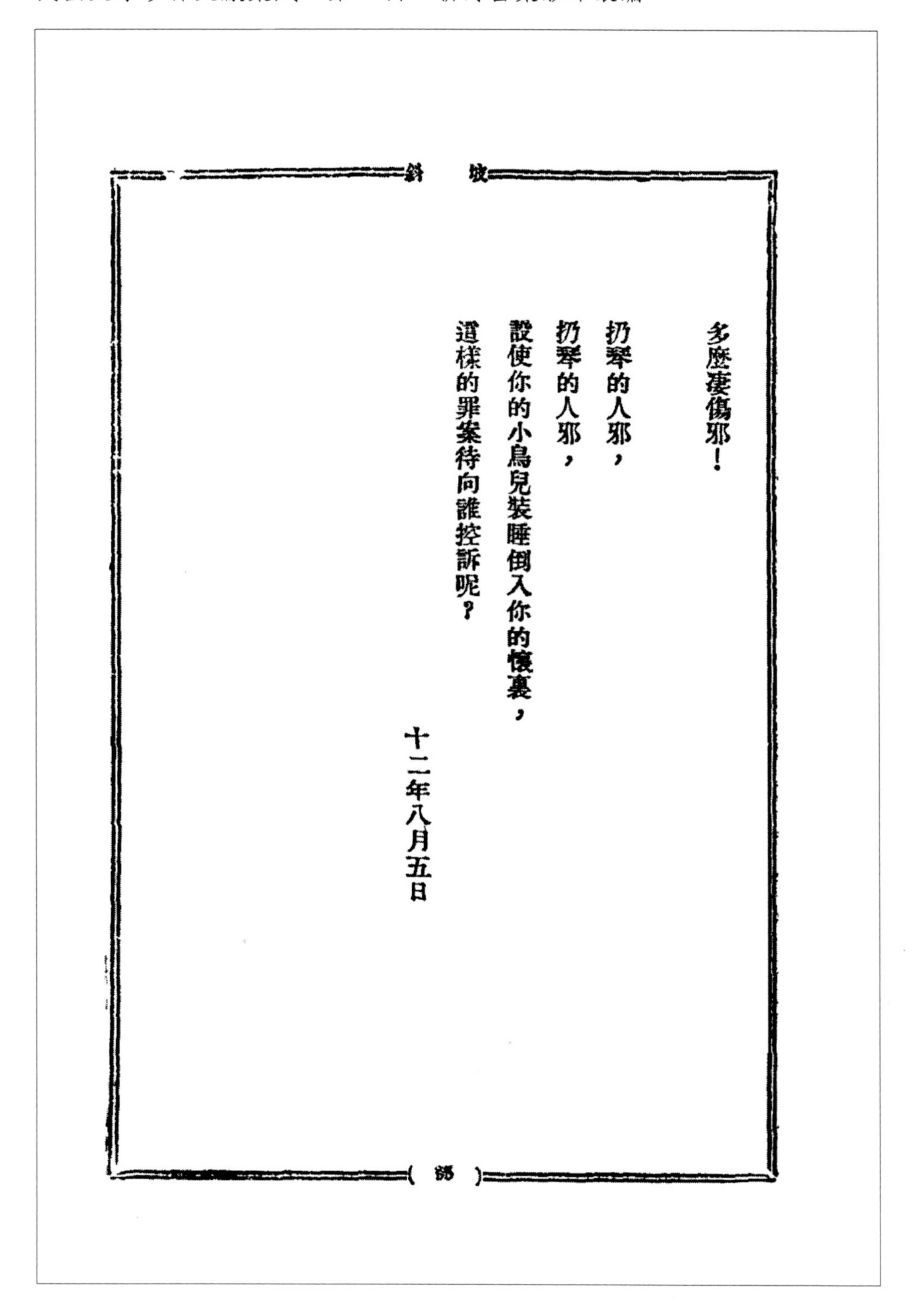

多麼淒傷邪！

扔琴的人邪，
扔琴的人邪，
設使你的小鳥兒裝睡倒入你的懷裏，
這樣的罪案待向誰控訴呢？

十二年八月五日

中華民國廿三年四月再版

▲斜坡 全書一册 定價大洋七角

著述者 曼尼

發行者 樊春霖

印刷者 新文化書社

總發行所 上海四馬路中市 新文化書社

分發行所 本外埠各大書局

上海新文化書社出版

新式標點的名著小說

紅樓夢	六冊	定價二元八角
續紅樓夢	二冊	定價一元
列國演義	六冊	定價二元八角
三國演義	四冊	定價二元二角
水滸	四冊	定價一元八角
蕩寇志	四冊	定價二元四角
後水滸	四冊	定價二元四角
鏡花緣	四冊	定價一元六角
封神傳	四冊	定價二元
西遊記	四冊	定價二元六角
官場現形記	四冊	定價二元二角
岳傳	四冊	定價一元八角
儒林外史	二冊	定價一元三角
今古奇觀	二冊	定價九角
七俠五義	二冊	定價一元三角
小五義	二冊	定價一元三角
續小五義	二冊	定價一元四角
兒女英雄傳	四冊	定價二元
續兒女英雄傳	二冊	定價八角
東西漢	三冊	定價一元八角
女仙外史	四冊	定價二元五角
花月痕	三冊	定價一元二角
薛仁貴征東	一冊	定價六分
薛丁山征西	二冊	定價九角
粉粧樓	二冊	定價八角
楊家將	一冊	定價六角
遊江南	一冊	定價四角五分
綠牡丹	一冊	定價六角五分
平妖傳	二冊	定價一元三角
二度梅	一冊	定價五角
包公奇案	一冊	定價四角
羅通掃北	一冊	定價四角五分

新式標點的尺牘

左文襄公書牘	一冊	定價六角
尺牘合璧	四冊	定價二元四角
雪鴻軒尺牘	二冊	定價一元五角
秋水軒尺牘	二冊	定價九角
小倉山房尺牘	二冊	定價一元
俞曲園尺牘	一冊	定價五角
蘇黃尺牘	一冊	定價六角
韓文公書牘	一冊	定價三角
八賢書札	一冊	定價五角

新式標點的文學書

老子新註	一冊	定價三角
古文辭類纂	六冊	定價三元六角
曾文正公六種	六冊	定價二元
曾文正公家書	三冊	定價一元
曾文正公日記	一冊	定價四角
曾文正公詩文集	二冊	定價一元
陸宣公奏議	一冊	定價六角
經史百家簡編	一冊	定價六角
王充論衡	二冊	定價一元二角
史記精華錄	一冊	定價五角
鄭板橋集	一冊	定價四角
文心雕龍	一冊	定價八角
世說新語	二冊	定價一元
斷腸詩詞	一冊	定價六角
白香詞譜	一冊	定價七角
唐詩三百首	一冊	定價五角
楚辭	一冊	定價三角
莫泊桑小說	一冊	定價四角五分
六朝女子文選	一冊	定價三角
中國小說史略	一冊	定價三角
絕妙好詞	一冊	定價七角
模範父母	一冊	定價六角五分
文學變遷史	一冊	定價三角五分
短篇寫實小說	一冊	定價三角五分
不識面的情人	一冊	定價五角
本國文學史	一冊	定價八角五分

新式標點的筆記小說

小說史略	一冊	定價三角
隨園詩話	一冊	定價四角
聊齋誌異	四冊	定價二元
閱微草堂筆記	三冊	定價一元五角
兩般秋雨盦	二冊	定價一元
戴南山集	二冊	定價一元二角
夜譚隨錄	一冊	定價八角
諧鐸	一冊	定價五角
徐霞客遊記	四冊	定價二元
老殘遊記	一冊	定價五角
浮生六記	一冊	定價三角
夜雨秋燈錄	二冊	定價一元
燕山外史	一冊	定價七角
宣和遺事	一冊	定價三角五分
戀愛的悲劇	一冊	定價六角五分
賊	一冊	定價四角

新式標點的名曲

琵琶記	一冊	定價五角
桃花扇	一冊	定價八角
牡丹亭	一冊	定價九角
長生殿	一冊	定價七角
燕子箋	二冊	定價七角
西廂記	一冊	定價四角五分
當壚豔曲	一冊	定價三角五分
李笠翁曲話	一冊	定價四角五分
元人曲論	一冊	定價三角

近日新出版

白話文做法	一冊	定價七角
白話信大全	一冊	定價七角
中國創作小說選	四冊	定價四元
世界文學讀本	四冊	定價四元
近代文學叢談	一冊	定價四角
菊園	一冊	定價三角五分
陶庵夢憶	一冊	定價五角

四馬路六十二號中華書局斜對門　電話九五一三八號

花木蘭文化出版社聲明啓事

此次《民國文學珍稀文獻集成》出版，有賴各位作者家屬大力支持，慨然允贈版權，遂使這巨大的文化工程得以開展。我社全體同仁在此向各位致以誠摯的謝意！

由於民國作者人數眾多，年代久遠且戰火頻繁，許多作者已無從知其下落。我社傾全力尋找，遍訪各地，能夠找到的後人，得其親筆授權者，爲數甚寡。更多的情況是，因作者本人下落不明，連版權情況都無從知曉。

因此，我社鄭重聲明：

此叢書所錄專著，凡有在版權期內而未授權者，作者家屬可與我社聯繫，我社願奉送相關贈書 50 冊爲報酬，補簽授權協議。

叢書第一輯，版權不明作者名單如下：

李寶樑、朱采眞、黃俊、汪劍餘、ＣＦ女士（張近芬）、王秋心、王環心、謝采江、曼尼、歐陽蘭、陳勣、沙利、卜弋雲、陳志莘。

望以上作者之家屬看到此通知後與我社聯繫。

聯繫信箱：hml@vip.163.com

花木蘭文化出版社

2016 年春

夜鶯

歐陽蘭 著

歐陽蘭，生平不詳。

薔薇社一九二四年五月出版。原書三十六開。影印所用底本版權頁缺。

夜鶯
歐陽蘭
薔薇社叢書之一
1924

嘹喨的歌聲

雪紋題

黃紹谷序

去冬回京，吾友畹蘭以其近作夜鶯詩集示我，囑爲之序當時細續一過，覺其篇篇發乎眞情，筆筆醮飽愛墨，雖然不盡精審，但在今日詩壇，確是不可多得之作。如——

失去的心

伊那秋波似的眼兒

很神秘地偷偷看我，

我止不住我的魂飛，

却也忍不住心頭狂跳。

伊姍姍地去了！

我的心也跟着伊姍姍地去了！

姍姍地我已是無心的人兒了！

愛

她說：

『親愛的，不要淘氣了！

讓我好好地睡罷！』

我說：

『只要你給我輕輕的一吻，

我也就不再動手了！』

處女的羞態

夏雨絲絲地下着，

涼風輕輕地拂着，

一間美化的房中，

伊和他並肩的坐着。

伊不敢抬頭看他，

伊不敢張唇吻他，

暗地裏偶一偷窺，

伊的臉兒便微微的紅了。

他的手無意地觸着伊，

伊的眼有意地望着他，

——

只一微笑一凝視，

他的頭便又低下去了。

這三首詩，寫得如何肥大，何等情真。再看他的用字，幾乎字字都有分寸；他的造句，也幾乎句句都經鍛鍊；必不是那些無病呻吟，牽爾操觚者可比。近人通病，每喜為詩作詩，一日數首，于是心為詩役，少有成就，求一含有真情實義者幾不可得。曉蘭之詩，多半出于無心，不為詩役，是其長處。

我的心一首

我何嘗有心呢？

我的心已經寄給她了！

我有的——

只是她的心，

不是我的心了！

此詩立意微妙，用字不多，可稱詩中上品。最精粹處，是他那一「寄」字。如去此字，便不足觀。

曉蘭小詩最好。你看驚及郊外兩首，畫家畫不出的，却

— 3 —

被他這後起詩人寫出了。

1. 鷺

別躲呀，魚兒！

這是柳絲的搖擺，

不是漁人的垂釣呵！

2. 郊外

青的是牧場，

白的是羔羊，

坐在陰涼的崖石上，

看護他的小姑娘。

著者愛情作品最多，除了上舉數首以外，好的如偷著，渡河，歸宿，心火，寄S妹，酒醺的濃夢，神秘的愛都是。其中心火一首，是他同他愛人生氣，愛人氣走了以後作的所以第二段說：

車兒走遠了！

無端地撇下了徬徨的心，

流落在悲哀的霧裏！

「撒下」「流零」和這「悲哀的霧裏」九字，下得恰妙，伴着這「徬徨的心」。所以有這妙處，固然由于作者細心，受過詩的訓練，但是倘非發于眞情，我敢保險祂們絕對不會飛臨筆端。故作詩要件，「眞情」居其一，不然，作也等于不作。

著者愛中生活，自然愛情作品最多；不過他愛母親，愛自然，也和他愛他的愛人一樣。雪夜，淚痕，舊夢都是他愛戀母親的詩。我，讚美，小詩，最親愛的，紅杏樹旁……都是他愛戀自然的流露。他不但愛詩，愛母親，愛自然，愛他的情人，即于人間苦痛，也曾念及，此點可以從他的心的甘泉，假若兩詩看出。不過人間痛苦，他雖不曾忘記，人間冷酷，却也時常被他詛咒。—這一段談到作者性格。似乎談到題外，但是你要認識作者作品，須先認識這位作者的性格。

作詩要件，須有眞情實義，上面已經說過，不過眞情實義之外，還須具有詩人胸襟，不然，詩也難精。你看他的紅杏樹旁，我，及陽光剛出的山中，可以確定他具有詩人的胸襟，沉醉自然的詩人。其中紅杏樹旁一詩，意境深微，確是好詩。

紅杏樹旁

任月亮兒升上，

—5—

照耀牧場與白楊，

我站在紅杏樹旁，

靜聽夜鶯歌唱。

除了這首紅杏樹旁之外，贈花一詩可看出作者愛的道德。盛衰的幻夢一詩，自是聰敏人語，而其音節用字，尤不多得。並且這個題目也很難寫，他卻從「看」從「聽」寫起，用「[illegible]聽着」三字輕輕引上題來，不能說他不會寫詩。

盛衰的幻夢

看不盡的嫩紅新綠，

聽不盡的燕語鶯啼，

一眞耶？

一幻耶？

燦爛的春光，

蘊藏着盛衰的幻夢！

匆匆成此，不當甚多，但望驪蘭努力，他日示我以更大之收穫。

一九二四年春，紹谷序于北大。

廖仲潛序

『我們寫詩，必須有三種條件，方可臻完美的境界。這三種要素，就是詩意，詩情，詩境。——

『流雲的變幻，飛霞的絢彩，如瞬間不抓住牠，那我們攝影機似的眼睛，映入二次的印像時，前次的印像，給破壞了，而新映入的，也模糊了。倚門的女郎，挨近去，扭身便躲了；嬌憨的含羞草，輕風過處，頭也低垂了一這就是我所謂的『詩意』。

『離騷之淋漓悱惻，非屈子的遭遇，不足以盡量地訴出他生平的懷抱和他愁腸的千古絕調；新月集之美麗幽婉，非有過理想的快樂的婚姻，不足以充分地達出孩子的天真和母親永久的愛與美之神秘。崑崙的磅礴鬱積，太平洋的深邃浩渺，握着了自然之偉大的神秘，而所以成其高，成其深一這就是我所謂的「詩情」。

『孩提的天使般的太戈你，生長在文學與藝術的空氣瀰漫着于他家的家裏，他的偉大的詩才，受了不少的灌溉，自然是要萌出美麗的芽，開出燦爛的花，結出甜蜜的菓來。他

— 1 —

有一個哥哥是一位大哲學家，「松鼠們見着他，從樹枝上爬下來，戲躍于他的膝上，小鳥們憩息于他的手上。」這樣，他不但是「人類的兒童」而且是自然的寵兒」了—這就是我所謂的「詩境」。』

上面的話，是晚蘭簡單地對于做詩的見解。當我課餘去到他那裏時，他也時常將那些勉勵我：『拿出創作詩的天才來，去寫含那三要素的詩。仲潛，努力吧！』

現在我們看他的詩。不但認識他是「人類的兒童」且幾乎是「自然的兒童」了。他創作的新聲，憩寄的戀歌，自然的音詠，一切都如春之「夜鶯」，在玫瑰枝上，從她的靈魂裏唱出偉大的愛來，優美戀摯！紹谷兄說他的詩意，詩情，詩境無一不具，無一不佳，正如他自已所述的，恰到妙處。老實說來，他確是具有天才的詩人；因我從他研究新文藝的短促時間上而論，足以窺見其一班。

一九二二年秋，他棄了東吳，來京師，考入北大。在第一個學期內，他常常和我會面，談話中每于不知不覺之間談到魯迅先生，冰心女士等的作品如何的美妙，如何的深刻，談得高興時，連我們都忘記自己已經做了他們作品中的主人翁了。因此我們嗜文藝的種子，或可說自那時起就漸漸的種下了稍許了。自後不出幾個月，曉蘭就開始創作了許多短篇小說，但都沒有發表，他說：『這不過是一種嘗試，並不必留下個痕跡。』所以他早已把他們撕碎了。

九二三年春，他開始作新詩了。他的詩大半在北京詩學研究會所出的詩學半月刊和綠波社所出的詩壇上發表，當時頗受社會上意外的歡迎，更有許多不相識的朋友們，寫信給他，勸他刊行詩集，以餉讀者。—然而，也不免有少數有意攻擊他的詩的，但那些我們可以不去管他，因爲他們都沒有了解這位作者的作品與人格呵！

曉蘭的詩，藝術雖有工拙，然都是赤裸裸的心靈的流露。他是一個二十歲的活潑潑的小孩子，爛熳的天真，熱烘烘地瀰漫着在他活潑的胸懷裏；所以他唱出自然的心聲，就是他固有的天真，在他每一首詩中，其優婉動人處，無一不顯出作者的本色。他唱情人的愛，孩子的愛，自然的愛，尤栩栩若生；鏗鏘的音節，輕輕地敲動讀者的心弦，奏出愉快的同調；美麗的靈魂，爬上讀者的臉龐，蕩漾着自然的微笑，在

這本夜鶯集裏，我們可以找出他人生觀的代表的作品來一

讚美

這是應該讚美的：

朝霞映着伊的雙頰，

曉風飄着伊的羅裙，

爛熳的情人，

美麗的天使。

這是應該讚美的：

蘋菓般的臉兒，

水晶似的雙眼，

潔白的心靈，

偉大的思想一

赤條條的活潑潑的小孩。

這是應該讚美的：

曉風映着樹梢，

山雞噪着晨曦，

也有清風，也有甘露—
陽光剛出的山中。

也許啊！
這是應該讚美的：
我睡在青草地上，
沉醉于自然懷裏，
在這樣的人間，
唱這樣的詩句。

我們只要看上面這首詩，就立刻可以知道他是一個讚美「愛」的詩人了。他寫情人的愛，尤極其神秘之能事。如——

神秘的愛

哦，吾愛：
鳥兒爲什麼謳歌？
蝶兒爲什麼飛舞？
告訴我，吾愛！
願你僅僅地告訴我罷！

— 5 —

哦，吾愛！

晚露爲什麼臉紅？

柳絲爲什麼低首？

告訴我，吾愛！

願你僅僅地告訴我罷！

哦，吾愛！

月在天上，月在水上，

橋上雙雙，橋下雙雙，

你爲什麼無言？

我爲什麼默默？

告訴我，吾愛！

願你僅僅地告訴我罷！

哦，吾愛！

花不應當開而竟開了！

我不應當生而竟生了！

告訴我，吾愛！

假如我沒有了你，

應該怎樣呢，我將？

這首詩不但是溫柔瀟灑，而且音調的自然，給了讀者有說不出的愉快，知道作者是怎樣一個玲瓏可愛的孩子啊！我再舉關于這類更動人的詩——

愛

她說：

『親愛的，不要淘氣了，

讓我好好地睡罷！

我說：

『只要你給我輕輕地一吻，

我也就不再動手了！』

隔膜的甘泉

她把帕兒覆着臉，

不肯與余相見，

雖然隔膜有甘泉，

却少秋波橫一轉。

—7—

公園遺影第四節

斜陽吻着紅墻——

深樹裏，

一陣笑聲。

噪出了伊們的倩影。

『躲呵！莫被伊們看見了。』

他天眞的個性，好像在讀者的眼前跳舞一般的活潑，如聞其聲，如見其人。樂觀的生活，佔據了他一切的世界，他天使般的童心，正如一塊純粹的白玉，在牠的本質裏，並沒有什麼灰色的黯淡底夾雜物，他如悲哀的事，也不過像將雨之前的黑雲一般的濃，雨止雲收，轉眼間即消散了。我記得在他被删去的許多小詩裏，恍惚有一首說：

小孩子原不知道悲哀的，

只因得不到母親的安慰。

也就呱呱地啼哭了！

這位詩人正是一個不悲哀的孩子。他生長在美麗的詩境裏，每逢濃厚的詩意，敲開他的心扉時，他就奏出感人的詩情底調兒。因爲詩是他的第二生命，詩要他歌，他不得不歌；詩要他笑，他不得不笑：否則他就悶的慌，急的死。所以他的詩痕說：

詩人呵！

你是「自然」的產兒，

當你心靈顫動的時候，

請你迅速記下—

這就是你一剎那間的心泉。

陽光剛出的山中

詩人呵！

黑的世界全都白了！

陽光剛出的山中，

快到那裏去開放你的心機能！

他這樣的寫出詩來，有時似乎稚氣太重；但畹蘭是人類的兒童，自然的兒童，「美」與「愛」正是他生活的核心，「讚美」與「歌愛」，也正是他極適當的事。所以我們應該取客觀的態度而容許他，了解他，還他以本來的眞價値；若是帶着有色的眼境去批評他，那就未免太辜負了作者的一番心事。

—9—

抑壓了作者的聰明的詩才了！詩算他學詩的久暫，不過半年的工夫，就有如許的美好成績，非天才如何？

我相信充實的生活，一定能夠產出真的詩來，畹蘭的詩，略如上述，然而他的生活，究竟比較的充實些。而我著這篇序的意思：一則我欽佩他的詩才，感激他，受了他不少的同化；二則略盡我介紹夜鶯到酷好文藝的讀者底一點責任──

春使來臨，
種愛于詩園的花草上。
羣芳燦爛處──
月上柳梢頭，
鶯唱黃昏後。

侍英使，灌着水瓢，
絳珠草，迎風窈窕，
不管那海世天仙，
只讚美于自然的繾綣，
無窮一永遠。

盡量地開着，

放情地唱着，

永遠的天空暸曉着，

無窮的世界芳香着，

爛縵的詩人呵！

你得着了這偉大神秘的使命了！

—讀夜鶯—

我祝頌我親愛的畹蘭，祝頌他從今以後，永遠在工作的時候，就永遠在快樂的時候；我尤其希望他將來陸續著出比這集子更有價值的「詩人的詩」來。到他老年時，看着這最初的夜鶯集，就知道這是他畢生事業的起點，當更發生珍重的心思了。畹蘭呵，永誓勿懈地努力罷！

一九二四，春，仲潛序于北京師大。

—11—

自　序

夜鶯終于出版了。在付印以前，我曾接到許多不相識的朋友們的來信，有的問，「夜鶯究竟何時出版？」有的問「夜鶯爲什麼還不出來？」」的確的，自從我那同在北京詩學半月刊上登了一個出版預告以後，雖然有許多朋友們來函催促，但在我自己，却會有過一二次極大的躊躇，就是：夜鶯究竟有無出版問世的價值呢？充滿了平庸蕪雜的作品的夜鶯，假如出版以後，能不能空廢了讀者的可貴的光陰？我相信我的詩歌的嘗試已經是失敗了，但我同時也相信光明之國是在黑暗的遙遠之鄉呵！夜鶯終於付印了，經過我幾次的躊躇之後，這本平庸而蕪雜的小集子，終于隨着朋友們催促的呼聲付印了！

我並沒有想到這本小集子出版以後，應得何種的反響。我原是爲我自已的靈魂而歌唱的，對于別人的批評和指教，雖然是絕對歡迎，但對于那些譏笑與謾駡的論調，却也似乎不必理會。至于那些已經戴上了「道德的眼鏡」的老先生們，那就不如請他們不要看他的好罷！

我現在二十歲了。過去的生活大都是値得紀念的，但是除了這本小集子以外，我還能夠拿出什麼來呢？二十歲是弱冠的時代，是兒童與成人過渡的時代，這也値得我們紀念的，但是，除了這本小集子以外，我又能夠再拿出什麼來呢？一所以，這本夜鶯集的出版，一則紀念我弱冠時代的一點「愛」的生活與幼想，一則紀念我走上成年之路以後的一點志願。我已不是小孩子了！回顧來途，可憐只有這本小小的夜鶯集，作我吻別童年的紀念品呵！

自夜鶯編輯後，蒙紹谷，仲潛二兄爲夜鶯作序，品華兄爲夜鶯題封面子，雪紋女士爲夜鶯校對，這些都讓我借這個機會在這裏向他們致謝一聲罷。

一九二四，春，曉蘭于北大。

—2—

吻別童時的紀念品

夜　鶯

1924

詩　　引

我的胸呵，
滿了愛而淒涼了！
我的心呵，
爲熱情所燒而痛苦了！
這熱情以及這愛，
是爲誰而燃燒的？
唉唉！美的愛之歌，
是爲誰而顫動的？

—桃色的雲—

目　錄

頁數

—1—

紅杏樹旁

任月亮兒升上，
照耀牧場與白楊，
我站在紅杏樹旁，
靜聽夜鶯歌唱。

心的甘泉

我願我的心兒和你的，
化成一滴甘泉；
甘泉滴滴如春雨，
讓祂分灑到人間。

小　詩

任所有的愛情，
流入我的心裏；

—1—

讓自然的詩意，
環繞我的周圍。

雪　夜

是你在呼喚我麽？
雪在狂飄，
風在微語，
母親，是你在呼喚我麽？

燈兒在孤寂的路旁燃燒着，
夜鶯在淒寂的巢中悲切着，
母親，不要失望呀！

鄰家的孩子正在睡眠，
我的小心却在狂跳，
母親，你必要呼喚我麽？

心靈的鮮花

假如智慧之神不光顧我，

心靈的鮮花，

早已紅消香散了。

戀中春夢

淡淡的月影，

密密的叢林，

我倆攜着手兒奔向河邊去；

伊無言，我默默。

愛河的水響了！

一道靈光，

也許是愛神的下降，

我倆的靈魂都浴在這閃爍的光波裏了；

伊無言，我默默。

—3—

愛神開始跳舞了，
愛情的花也醺醺的醉了！
我緊緊的挽着伊，
伊也緊緊的挽着我；
伊無言，我默默。

一絲絲的雨珠，
灑在我倆的頭上，
許是天上的淚珠，
也許是愛神的甘露；
伊無言，我默默。

我怕看愛河的怒濤，
我不敢再往前進了！
我要和伊分手，
伊又嗚嗚地哭了！
伊無言，我默默。

雖在這怒濤狂跳之中，

我倆終于搭着船兒飄去了！

清風拂拂—

只有水聲，只有浪聲。

我們開始談笑了。

浪花悄悄的打着船篷，

海風呼呼的吹着船帆，

水也在流，雲也在流；

但願一生如此—

泛舟遨遊。

一朵狂奔的浪花，

淹沒了我們的船身，

折斷了我們的帆檣，

我們也隨着浪花淹沒了！

只有最後的嗚咽，

還留在無邊的愛河裏—永遠！

—5—

寄 S 妹

我曾把我的心兒寄給你，

裝滿了無限的愛情寄給你，

我不受你一聲的謝謝，

也不求你暫時的回報。

吾愛呵！

只願你報我心靈的一笑，

我已得着無窮的安慰了！

讚 美

這是應該讚美的：

朝霞映着伊的雙頰，

曉風飄着伊的羅裙，

爛熳的情人—

美麗的天使。

這是應該讚美的：

蘋菓般的龐兒，

水晶似的雙眼，

潔白的心靈，

偉大的思想，—

赤條條的活潑潑的小孩。

這是應該讚美的：

曉風映着樹梢，

山雞噪着晨曦，

也有清風，也有甘露，—

陽光剛出的山中。

也許呵！

這是應該讚美的：

我睡在青草地上，

沉醉于自然懷裏，

在這樣的人間，

唱這樣的詩句。

我

我是浮雲，

我又是流星；

我願與自然同化，

我願與海水浮沉。

夏之夜

夏之夜，

月明如鏡，

夜鶯何處？

聲聲啼煞未歸人！

最親愛的

最親愛的在那裏？

自由之花，

自然之美，

爛熳的情人。

詩　痕

詩人呵！

你是自然的產兒，

當你心靈顫動的時候，

請你迅速記下，

這就是你一刹那間的心泉。

思　家

三年不見的故鄉，

在沉醉的夢中，

看見了龍顏的「雪浪」。

倘　若

倘若你是一條幽水，

我便化作游魚，

水中月色照波心，

讓我自由泳！

倘若你是一枝玫瑰，

我便化作蝶兒，

花心甜蜜比甘泉，

讓我時常醉！

愛

她說：

『親愛的，不要淘氣了，

讓我好好的睡罷！』

我說：

『只要你給我輕輕的一吻，

我也就不再動手了！』

遊萬牲園

1

被鎖着的猴兒，

仍是去年的朋友嗎？

半年不見的鸚鵡，

可憐消瘦不堪了！

2

困在籠裏的相思鳥，

可能解得相思苦？

她眷念着久別的情人，

不自然地只是飛舞！

3

爲了你勇猛的虎威，

牢牢地把你圈住！

嚙不斷的重重鐵網，

沒奈何地受他支配！

4

是誰造下的高墻？

是誰捉來的肥象？

爲了你腹內的久飢，

且忍淚兒讓人調戲！

5

何來沉醉的薰風，

陣陣催人入夢？

何來淒涼的音樂，

聲聲刺透心窩？

6

暢觀樓上的小立，

看見了禧后的風光；

人去樓空心切切，

長留遺孀弔斜陽！

我的心

我何嘗有心呢？

我的心已經寄給她了！

我有的一

只是她的心，

不是我的心了！

徬　徨

我悔不應恣意地奔流，

來到這死陰的幽谷！

夜鶯不住地悲鳴，

我只覺生涯之寂寞！

回不到幽潔的故居，

徒夢想馥蔚的青林；

我本是迷途的倦鳥，

誰慰我孤寂的飄零！

我在林中涕泣，

—13—

我在海上號歌！

恨不得身似浮雲，

飛遍了碧天的深處！

玫瑰花

玫瑰花兒落在村間的路上

蜜蜂便一個個嗡嗡的唱着來了。

淚痕

十八年的光陰，

如夢般的過去了！

在沉默陰森的夜之幕下，

清風飄蕩着花香，

黑暗籠罩着大地，

我要笑呵—歡容萎了！

我要哭呵—淚泉乾了！

—14—

命運之神呀！

你留給我無限的淚痕了！

我那能忘記—

我離家的那年，

媽媽含着淚兒吩咐我！

臨別時還不住的說：

『畹兒！你去！你好好的去！』

我那能忘記—

阿母的臨別語！

我遊學滬江，

遊學姑蘇，

去秋又負笈京都；

剛尋着求學的棲所，

媽媽已丟我先逝了！

欲歸歸不得，

我的淚兒只向腹中流注呵！

—15—

我那能忘記——
空曠的山中，
白楊樹蕭蕭着，
杜鵑兒悲泣着，
一個新墳，
半坏黃土！
唉！新墳下，
正是我親愛的母親！

我那能忘記——
夢中的幻景，
醒後的悲哀！
何處是新墳？
何處是我親愛的母親？
格格的車，
啃啃的鳥，
似聲聲喚我不如歸去！

我那能歸去？

我安敢歸去？

歸時見不着我親愛的媽媽！

來時聽不着阿母的臨別語！

看白楊衰草，

對黃土新墳，

徒增我無窮的涕淚！

陽光剛出的山中

詩人呵！

黑的世界全都白了！

陽光剛出的山中，

快到那裏去開放你的心機罷！

人生的純潔

汪汪的淚泉，

—17—

洗淨了全靈魂的汚點，

靜悄悄綠柳叢中，

我恢復了人生的純潔了！

盛衰的幻夢

看不盡的嫩紅新綠，

聽不盡的燕語鶯啼，

—眞耶？

—幻耶？

燦爛的春光，

潛藏着盛衰的幻夢！

相　思

鏡中憔悴的愁容，

難道就是我相思的流露？

處女的羞態

夏雨絲絲的下着，
涼風輕輕的拂着，
一間美化的房中，
伊和她並肩的坐着。

伊不敢抬頭看她，
伊不敢張唇吻她，
暗地裏偶一偷窺，
伊的臉兒便微微的紅了！

她的手無意地觸着伊，
伊的眼有意地望着她，
只一微笑一凝視，
伊的頭便又低下去了！

且自由他

—19—

流水落花，留春不住；
月圓月缺，且自由他。

歸　宿

愛人呵！
當我想着你時
請把我的靈魂收下罷！

有主之花

如其你不能愛我，吾愛！
當我們相遇的時候，
請你赦了我的痛苦，
再不要遠遠地橫波盼我了！

假　若

—20—

假若我是一個女神，
我願將所有的人們，
一個個地摟在懷裏，
用我熱烈的情絲，
去安慰他們失歡的心靈

公園遺影

蔚藍的天海，
浮舖着幾片白雲；
爛熳的柳絲，
又向游魚調戲了！

樹影倒入池中，
隨着微波顫抖着，
綠陰深處，
憑添了幾尾游魚。

我痴望着水底的浮雲，

逼有不知趣的魚兒，

潑的一聲，

猛把天心跳碎！

斜陽吻着紅牆一

深樹裏，

一陣笑聲，

噪出了伊們的倩影。

『躲呵！莫被伊們看見了。』

顧盼而悵望的一

倦遊的詩人，

偶然前望黃花，

便爲殘荷悲泣了！

困人天氣

蒸炎的南風，

輕輕地吹來，

頑皮的小貓，

閉着眼兒睡去了！

驚

別躲呀，魚兒！

這是柳絲的搖擺！

不是漁人的垂釣呵！

小樓蜜語

是誰點綴長空？

繁星點點微明。

深夜小樓靜寂，

倚欄蜜語談情。

—23—

一陣球聲，

恍如將雨的雷鳴；

數點星火，

幾疑天上的流螢。

是何處送來的花香？

醺醉我久鬱的心靈；

是何處送來的電火，

閃醒了沉默的天心。

風飄伊的羅裙，

風吹我的衣襟，

安得身如舞絮，

雙雙飛上青雲。

舊　夢

幽靜的秋夜，

我離開了床舖，

悄悄地走到母親睡着的坟前，

白楊無語，

歸雁嗚咽，

母親呵！

冷酷的秋風，

僅僅是你長夜的侶伴嗎？

我的心已經失落在坟旁，

我聽見了和藹的笑聲，

看見了溫柔的笑貌，

母親呵！

空山淒寂，

僅僅是我的夢魂兒，

夜夜纏繞着你嗎？

神秘的愛

—25—

哦，吾愛！

鳥兒爲什麼謳歌？

蝶兒爲什麼飛舞？

告訴我，吾愛！

願你僅僅地告訴我罷！

哦，吾愛！

晚霞爲什麼臉紅？

柳絲爲什麼低首？

告訴我，吾愛！

願你僅僅地告訴我罷！

哦，吾愛！

月在天上，月在水上，

橋上雙雙，橋下雙雙，

你爲什麼無言？

我爲什麼默默？

告訴我，吾愛！

願你僅僅地告訴我罷！

哦，吾愛！
花不應當開而竟開了！
花不應當生而竟生了！
告訴我，吾愛！
假如我沒有了你，
應該怎樣呢，我將？

贈花

伊送給我的一束花兒，
我把她插在我的瓶裏，
雖然花萎了，
我仍不忍棄去。

另一個美麗的小姑娘，
很殷勤地惠顧我，

—27—

伊也曾送我以花朵，

但我的瓶中已經有了伊的了！

靜靜地候着

—慰仲濟—

你看見了小姑娘的羞態，

不會怨恨愛神嗎？

你讀完了雜誌上的戀歌，

不會詛咒作者嗎？

靜靜地候着罷，吾友！

一切他們所有的，

也都潛隱着在你的心中！

我將導引你到樂園中去—

那裏有一雙雙粉蝶紛飛，

那裏有一雙雙鴛鴦游戲，

自然之美呵！

爛熳的愛呵！

吾友，靜靜地候着罷！

走到愛神的宮裏，

你可以跪在她的面前，

告訴她—

你是爲孤獨而憔悴了！

她必將撫慰你以她的愛，

贈送你以她的花！

假如她睡着了呢，

你就要悄悄地等候着她，

她醒後最初的一箭，

也將悄悄地射到你的心上！

聽，那不是薇娜絲的戀歌？

看，那不是安琪兒的素羽？

靜靜地候着罷，吾友！

—29—

樂園的門兒終會開的，

愛情的箭兒也終會射向你的心上的！

幽　靜

夜鶯飛去後，

何來悲切歌聲？

夜夜沉沉中，

只是充滿了無邊的幽靜！

愛情的歸宿

—賀亞衡兄與文毅女士訂婚—

鳥兒啾啾的謳歌，

蝶兒翩翩的飛舞，

看呵—幸福的幃幕展開了！

聽呵—清脆的戀歌領頭了！

美麗的雲霞呀！

溫柔的青草呀！

中天的明月呀！

因着你們幸福的樂園，

躊躇中——

我找着了什麼是我應送的禮物了！

心的歸宿

流雲似的靈魂，

何處歸宿？

自然的懷裏？

情人的懷裏？

秋　聲

前面是汪洋的大海，

後面是巍峩的高山，

我不知道什麼時候迷了歸途。

—31—

什麼時候忘了去處！
我徬徨，我躑躅！
我找到了我所不尋的，
失去了我所欲得的！

我因徬徨而顫抖！
我的心呀！
春花早經萎謝，
憂鬱的天空，
鳥兒從彼岸回來，
在那裏一
你可以聽見深秋的音樂！

我躺在樹蔭之下，
看黃花爭艷，
聽桐葉飛揚，
天色晦暝中，
失路的心，

—32—

只能與失路的歸鴉同語啊！

穿過了幽暗的深林，

月兒已經藏躲，

大地只見秋容，

夜色蒼茫中，

我失落了我的心！

月兒悄悄地出了！

大地也悄悄地亮了！

我的失路的心兒呀！

却又從天際歸來了！

上帝悄悄地贈給我一朵愛之花，

又悄悄地灑上了幾滴甘露，

末後他告訴我說：

『愛之花是贈給你的！

在那朵花上，

你可以得着安慰，

—33—

也可以得着悲哀！』

楓葉落盡了！
我眷戀中的故鄉呀！
秋雁南來，
白芙蓉在冷淡的江邊狂放着，
我的歌聲，
也只好隨着流雲歸去吅！

失去的心

伊那秋波似的眼兒，
很神秘地偷偷看我；
我止不住我的魂飛，
却也忍不住心頭狂跳。

伊姍姍地去了！
我的心也跟着伊姍姍地去了！

姍姍地我已是無心的人兒了

山　中

經過了歸鴉的飛宿，

已不是人間的時地了！

山崗上幾點流螢，

閃遍了空山的沉黑。

讀桃色的雲

為了花蟲呵，

我願化作春子！

春為愛而來，

問何時得睹桃色的雲？

睡着罷，靜靜的！

金兒已去了！

—35—

春是不來了！
可愛的桃色的雲兒呵，
恐仍在未來的迷夢裡！

詛 咒

父兮生我，
母兮育我，
幸福的泉源，
究在何處呢？
上帝呵！
原諒我罷！
潔白的心，
終脫不了骯髒的殼！

走到生命之海的堤岸，
看海水汪洋，
聽怒濤奔湃，

生命的節奏呀！
朋友，回去罷！
只有命運是不可捉摸的，
一切我都知道了！

愛之神究在何處呢？
勝利的惡魔向着我們獰笑！
煩悶呀！
你就是快樂之邦的蟊賊罷！

在這冰冷與擾嚷的宇宙中，
誰曾得着愛之神的惠顧？
盡是詛咒的呼聲呵，
瀰漫于冷酷的天空裡！

我找不到美麗的花園，
便將人間毒惡地詛咒了！
在這茫茫的生命流中，

—37—

只有走到愛河的堤岸，

懇切地祈求愛之神的惠顧！

除此呵！

只有詛咒人間了！

啼　鳥

啼鳥不知人恨，

綠陰深處，

聲聲喚落斜陽。

留　戀

黃昏呵，

你告訴我！

太陽將去的時候，

爲什麼淚眼朦朧呢？

看哪——

晚霞留不住太陽，

羞得紅潮飛漲了！

愛人的化身

—寄S妹—

你的愛點綴了我的心靈，

你的花裝飾了我的書室，

圍繞着我的—

只見紅花，

只見青草，

吾愛，那是你的化身呀！

中　秋

—月下的遺痕—

月兒依舊，

—39—

人兒依舊，

羨天上美麗的嫦娥，

又來到人間的秋節了！

莫說罷一

『花好月圓人壽，

何來惆悵？』

朋友們呵！

月比玉盤圓，

人比黃花瘦！

我欲爬上樹梢，

抱着嫦娥親吻；

我願沉入水底。

摟着月姊談情！

夢想着一

永是夢想着！

在這樣朦朧的宇宙中，

且做着未來的幻夢罷！

相思的美的晶宮呵！

請長在我的迷夢裏！

被月色浸透的心靈，

已經超脫了人間的惡夢，

且把他掛在枝頭，

遙寄廣寒宮去！

隨風飄蕩的落葉，

驚醒了飄零的我了！

『故鄉呵！

我這裏的月兒圓，

你那裡的月兒圓不圓？』

茉莉花

—中秋日寄贈 J. H.—

花兒不常香，

月兒不常圓，

J 呵！

且願你牢牢記着：

今夜的月兒圓，

今夜的花兒香！

隔膜的甘泉

伊把帕兒遮着臉，

不肯與余相見，

雖然隔膜有甘泉，

却少秋波橫一轉。

海　波

安靜些罷，海波！

—42—

不要因為你有自由，

便把那些航船淹沒了！

心　火

一心火燃燒着！

眼角裡熱水似的瑩晶，

為什麼總融不了我的悲哀的重載？

車兒走遠了！

無端地撇下彷徨的心，

流落在悲哀的霧裡！

她本是無意地觸犯我，

但我的心，

為什麼只騰着愁雲，

長在空中旋繞？

黑夜的流星之光，

—43—

把全世界的愁雲閃破了！

在朝暉未啟以前，

誰曾將未來的希望，

盡付以閃爍的星光？

假如我是晶瑩的淚海，

我將淹沒了人間，

如同瀰瀧的雨珠，

分灑于各人的頭上。

假如我是不羈的西風，

我將吹破了太平洋的平衡，

掀起了一海的狂濤巨浪；

如同從未滅的爐頭吹起熱灰火燼！

我的悲哀，

也將吹到各人的心上！

但一

一樣的擾動我心情的悲哀，
我的淚也只好任他自乾罷！
失去了心靈的我呵！
乘大衆睡眠的時候，
還請在無痕的白紙上，
給他留下一個情焰罷！

生命之花

——樹品華——

一朵鮮麗的花兒，
從生命樹上凋落了！
朋友，不要失望呵！
你所期望于她的，
她都賜給你了！

讓她枯萎在樹下，
靜靜地埋在芳草叢中罷！
粉蝶兒不再擾她了！

—45—

大風雨不再摧她了！
她是如何的安靜啊！

或者呢，
讓她隨着風兒飄去，
流落在汪洋的海裏，
使她純潔的童身，
仍葬于澄靜的水裏！

這是你的不幸嗎？
花開了，
却終于謝了！
朋友，讓她枯萎了罷

假如你哀憐她呢，
在清新的早上，
當朝霞還在羞紅，
露珠仍未消滅的時候，

你可以走到她的身旁，

用你全副的熱淚哭泣她，

用你全副的哀情弔唁她！

或者呢，

在她枯萎以後，

你好好地將她留給你的愛，

寫在詩裏，

印在心上，——

你的不忘，

也就是她的永久的安慰了！

朋友，不要失望呵！

讓她枯萎在樹下，

靜靜地埋在芳草叢中罷！

粉蝶兒不再擾她了

大風雨不再摧她了！

她是如何的安靜呵！

—47—

囈語

如其我衹是一隻夜鶯，
在那寂寞的花園裏，
我將爲心的淒涼而哀泣呢，
還是爲夜的幽秘而讚美？

如其我衹是一個痴子，
看了伊美麗的臉龐，
我將永遠地吻着伊呢，
還是把伊吞下腹中去？

呵，如其我衹是一朵薔薇，
我將生在伊的心田裏；
伊的心田如其是不荒蕪的，
我的花兒也就永遠不會萎謝了。

郊外

青的是牧場，

白的是羔羊，

坐在陰涼的雲石上，

看護他的小姑娘。

心　扉

久閉着的心扉，

無意地被伊敲開了！

關不住的高潮春水，

且讓他隨意地奔流。

伊去後

我病倒在牀上，

伊爲我唱安眠之歌，

伊爲我執養護之役；

只而今，伊終于去了！

—49—

我的病却依然的留着！

我不望病魔離開我，
但願伊時時在我的牀前：
伊的歌聲勝似醇酒，
伊的微笑甜過甘糖。

當伊微笑地吻我時，
病魔悄悄地去了；
當伊依依地別我時，
病魔又來親我了！

這是永遠不會忘記的：
伊悄悄地坐在我的牀前，
左手挽着我的頸兒，
右手捧着我的臉龐，
微笑地吻着說：
『我不喜歡你病在牀上，

親愛的，你更好了嗎？』

爲什麼伊不能永遠地陪着我？
夜鶯唱了，
伊終于去了！
我呵，又爲病魔糊倒了！

伊說：
『親愛的，我不能不去了！
明天再見罷！』
我說：
『親愛的，恕我不能送你了，
你好好的去罷！』

而今呵！
夜鶯的歌淒涼而悲壯，
伊的委婉的歌聲那裏去了？
我爲病魔的攪擾而失眠，

—51—

伊的安眠之歌聽不見了！

伊說：
『夜夜不眠時，
　我都眷念你！』
而今呢，
深院淒寂，
伊的夢魂兒，
或又將飄近我了。

伊本是不願離開我的，
當伊依依地別我時，
伊的難過恐將甚于我罷！
只而今，伊終于去了！
我的病却依然的留着！

—終—

花木蘭文化出版社聲明啓事

此次《民國文學珍稀文獻集成》出版，有賴各位作者家屬大力支持，慨然允贈版權，遂使這巨大的文化工程得以開展。我社全體同仁在此向各位致以誠摯的謝意！

由於民國作者人數眾多，年代久遠且戰火頻繁，許多作者已無從知其下落。我社傾全力尋找，遍訪各地，能夠找到的後人，得其親筆授權者，爲數甚寡。更多的情況是，因作者本人下落不明，連版權情況都無從知曉。

因此，我社鄭重聲明：

此叢書所錄專著，凡有在版權期內而未授權者，作者家屬可與我社聯繫，我社願奉送相關贈書50冊爲報酬，補簽授權協議。

叢書第一輯，版權不明作者名單如下：

李寶樑、朱采真、黃俊、汪劍餘、ＣＦ女士（張近芬）、王秋心、王環心、謝采江、曼尼、歐陽蘭、陳勣、沙刹、卜弋雲、陳志莘。

望以上作者之家屬看到此通知後與我社聯繫。

聯繫信箱：hml@vip.163.com

花木蘭文化出版社

2016年春